Medea
Romeo y Jeannette

Medea
Romeo y Jeannette

JEAN ANOUILH

Traducción: Aurora Bernárdez

Clásicos Losada
Primera edición: octubre de 2004
© Editorial Losada, S. A., 1956
Moreno 3362 - 1209 Buenos Aires, Argentina
Viriato, 20 - 28010 Madrid, España
T +34 914 45 71 65
F +34 914 47 05 73
www.editoriallosada.com
Distribuido por Editorial Losada, S. L.
Calleja de los Huevos, 1, 2º izda. - 33003 Oviedo
Impreso en la Argentina
Título original: *Medée. Roméo et Jeannette*
Traducción: Aurora Bernárdez
Tapa: Peter Tjebbes
Maquetación: Taller del Sur
Queda hecho el depósito que marca la ley 11.723
Marca y características gráficas registradas en La Oficina
de Patentes y Marcas de la Nación.

Anouilh, Jean
 Medea. Romeo y Jeannette. -1ª ed. - Buenos Aires:
Losada, 2004. 192 p.; 18 x 12 cm. - (Biblioteca Clásica y
Contemporánea. Clásicos Losada, 677)

 ISBN 950-03-0618-2
 Traducido por Aurora Bernárdez

 1. Teatro Francés. I. Bernárdez, Aurora. II. Título.
 CDD 842

Índice

MEDEA   11

ROMEO Y JEANNETTE   59
    Acto I   61
    Acto II   97
    Acto III   125
    Acto IV   157

A Pascal Pia

*Oh, alma mía, no aspires a la vida inmortal,
pero agota el campo de lo posible.*

Píndaro: *III Pítica.*

Medea

Personajes

Medea
Jasón
Creón
La nodriza
El muchacho
Los guardias

Acto único

En escena, al levantarse el telón, Medea y La nodriza *en cuclillas delante de un carromato.*
Músicas, vagos cantos a lo lejos.

Las mujeres escuchan.

Medea: ¿Oyes?

La nodriza: ¿Qué?

Medea: La felicidad. Anda rondando.

La nodriza: Cantan en la aldea. Tal vez hoy haya fiesta.

Medea: Odio las fiestas de ellos. Odio su alegría.

La nodriza: No somos de aquí. *(Un silencio.)* En nuestra tierra la fiesta es antes, en junio. Las mujeres se ponen flores en el pelo y los mozos se pintan la cara de rojo con su sangre, y a la madrugada, después de los primeros sacrificios, empiezan los combates. ¡Qué hermosos son los mozos de Cólquide cuando luchan!

Medea: Cállate.

La nodriza: Después doman bestias salvajes todo el día. Y a la noche encendían grandes hogueras delante del palacio de tu padre, grandes hogueras amarillas con hierbas que olían fuerte ¿Has olvidado, pequeña, el olor de nuestras hierbas?

Medea: Calla calla, buena mujer.

La nodriza: Ah, soy vieja y el camino es demasiado largo... ¿Por qué, por qué nos hemos marchado, Medea?

Medea *(grita)*: ¡Nos hemos marchado porque yo amaba a Jasón, porque por él robé a mi padre, porque maté a mi hermano por él! Calla, buena mujer, calla. ¿Crees que es agradable repetir siempre las cosas?

La nodriza: Tenías un palacio con muros de oro y ahora estamos aquí, en cuclillas como dos mendigas, delante de este fuego que se apaga siempre.

Medea: Ve a buscar leña. *(La nodriza se levanta quejándose y se aleja. Medea grita de pronto.)* ¡Escucha! *(Se incorpora.)* Son pasos en el camino.

La nodriza *(escucha, luego dice)*: No. Es el viento. *(Medea vuelve a su posición en cuclillas. Los cantos prosiguen a lo lejos.)* No lo esperes más, gatita mía, te consumes. Si es cierto que hay una fiesta, lo habrán invitado. Tu Jasón está bailando, bailando con las hijas de los pelasgos y nosotras dos aquí.

Medea *(sordamente)*: Me callo. *(Un silencio; se po-*

ne en cuatro patas para soplar el fuego. Se oye la música.)

Medea *(de pronto.)*: ¡Huele!

La nodriza: ¿Qué?

Medea: El hedor de la felicidad llega hasta este páramo. ¡Sin embargo nos confinaron bastante lejos del pueblo! Tenían miedo de que les robáramos las gallinas por la noche. *(Se incorpora, grita.)* ¿Pero qué tienen para cantar y bailar? ¿Acaso yo canto, eh, acaso yo bailo?

La nodriza: Ellos están en su casa. La jornada ha terminado. *(Una pausa, soñadora.)* ¿Te acuerdas? El palacio era blanco al final de la avenida de cipreses cuando volvíamos de los largos paseos... Entregabas el caballo al esclavo y te arrojabas en los divanes. Entonces yo llamaba a tus criadas para que te lavaran y vistieran. Eras el ama y la hija del rey, y nada era demasiado hermoso para ti. Sacaban los vestidos de los cofres y tú elegías, tranquila, desnuda, mientras te frotaban con aceite.

Medea: Calla, buena mujer, eres muy tonta. ¿Crees que echo de menos un palacio, los vestidos, las esclavas?

La nodriza: ¡Huyendo, siempre huyendo desde entonces!

Medea: Podía huir siempre.

La nodriza: Expulsadas, apaleadas, despreciadas, sin país, sin casa.

Medea: Despreciada, expulsada, apaleada, sin país, sin casa, pero no sola.

La nodriza. Y me arrastras, a mi edad. Y si me muero, ¿dónde me dejarás?

Medea: En un agujero, en cualquier parte, o al borde de un camino, vieja, y yo también lo he aceptado. Pero no sola.

La nodriza: Él te abandona, Medea.

Medea *(grita)***:** ¡No! *(Se interrumpe.)* Escucha.

La nodriza: Es el viento. Es la fiesta. Esta noche tampoco volverá.

Medea: ¿Pero qué fiesta? ¿Qué felicidad que hiede hasta aquí a sudor, a vino espeso, a frituras? Gentes de Corinto, ¿qué tenéis para gritar y bailar? ¿Qué cosa tan alegre pasa esta noche que a mí me aprieta, me ahoga?... Nodriza, nodriza, esta noche estoy encinta. Me siento mal y tengo miedo como cuando me ayudabas a sacar un niño de mi vientre... ¡Ayúdame, nodriza! Algo se mueve en mí como antes, algo que dice no a la alegría de aquéllos, algo que dice no a la felicidad. *(Se aprieta contra la vieja, temblo-*

rosa.) Nodriza, si grito me pondrás el puño en la boca, si me debato me sujetarás, ¿verdad? No me dejarás sufrir sola... como cuando era pequeña, como la noche en que estuve a punto de morir dando a luz. Todavía tengo que echar al mundo esta noche, algo más grande, más viviente que yo, y no sé si seré bastante fuerte...

Un muchacho *(entra de pronto y se detiene)*: ¿Sois vos, Medea?

Medea *(le grita)*: ¡Sí! ¡Habla pronto! ¡Ya sé!

El muchacho: Jasón me envía.

Medea: ¿No volverá? ¿Está herido, muerto?

El muchacho: Os manda decir que estáis salvadas.

Medea: ¿No volverá?

El muchacho: Os manda decir que vendrá, que es preciso esperarlo.

Medea: ¿No volverá? ¿Dónde está?

El muchacho: En casa del rey. En casa de Creón.

Medea: ¿Prisionero?

El muchacho: No.

Medea *(grita de nuevo)*: ¡Sí! ¿Es por él esa fiesta? Ya ves que lo sé. ¿Es por él?

El muchacho: Sí. Es por él.

Medea: ¿Y qué hizo? Vamos, habla rápido. Has corrido, estás rojo, te tarda volver allá. Están bailando, ¿verdad?

El muchacho: Sí.

Medea: ¿Y beben?

El muchacho: ¡Seis barricas abiertas delante del palacio!

Medea: Y los juegos, y los petardos, y los disparos que parten todos al mismo tiempo hacia el cielo. Rápido, rápido, pequeño, y habrás desempeñado tu papel, podrás volver allá y divertirte. Tú no me conoces. ¿Qué puede importarte lo que vas a decirme? ¿Por qué te asusta mi cara? ¿Quieres que sonría? Mira, sonrío. Además es una buena noticia, ya que bailan. ¡Pronto, pequeño, si ya lo sé!

El muchacho: Se casa con Creusa, la hija de Creón. La boda es mañana por la mañana.

Medea: ¡Gracias, pequeño! Ahora vete a bailar con las hijas de Corinto. Baila con todas tus fuerzas, baila toda la noche. Y cuando seas viejo, recuerda que fuiste tú quien vino a decírselo a Medea.

El muchacho *(da un paso)*: ¿Qué debo decirle?

Medea: ¿A quién?

El muchacho: A Jasón.

Medea: ¡Dile que te he dado las gracias! *(El muchacho se va.)*

Medea *(grita de pronto)*: ¡Gracias, Jasón! ¡Gracias, Creón! ¡Gracias, noche! ¡Gracias a todos! Qué simple era, estoy libre...

La nodriza *(se acerca)*: Mi águila orgullosa, mi pequeño buitre...

Medea: ¡Deja, mujer! Ya no necesito tus manos. Mi hijo ha llegado solo. Y esta vez es un niño. ¡Odio mío! Qué joven eres... Qué suave, qué bien hueles. Niñito negro, eres mi único cariño en el mundo.

La nodriza: Ven, Medea...

Medea *(está de pie, muy derecha, con los brazos apretados sobre el pecho)*: Déjame. Estoy escuchando.

La nodriza: Deja esa música. Volvamos.

Medea: Ya no la oigo. Escucho mi odio... ¡Oh dulzura! ¡Oh fuerza perdida!... ¿Qué había hecho de mí, nodriza, con sus grandes manos calientes? Bastó que entrara en el palacio de mi padre y que posara una en mí. Diez años han pasado y la mano de Jasón me abandona. Me recupero. ¿He soñado? Soy yo. ¡Medea! Ya no aquella mujer apegada al olor de un hombre, aquella perra aguardando acostada. ¡Vergüenza! ¡Vergüenza! Me arden las mejillas, nodriza. Lo aguardaba todo el día, con las piernas abiertas, amputada... Humildemente, ese trozo de mí que él podía dar y recobrar, ese centro de mi vientre que era suyo... Yo tenía que obedecerle y sonreírle y adornarme para gustarle, pues me abandonaba todas las mañanas llevándome consigo, muy feliz de que regresara por la noche y me devolviera a mí misma. Tenía que darle el vellocino de oro si lo quería, y todos los secretos de mi padre, y tenía que matar a mi hermano por él y seguirlo después en la huida, criminal y pobre con él. Hice lo que había que hacer, eso es todo, y hubiera podido hacer más. Tú sabes todo esto, buena mujer, tú también has amado.

La nodriza: Sí, loba mía.

Medea *(grita)*: ¡Amputada!... Oh, sol, si es cierto que vengo de ti, ¿por qué me has hecho amputada? ¿Por qué me has hecho mujer? ¿Por qué estos senos, esta debilidad, esta herida abierta en el centro de mí misma? ¿No hubiera sido hermoso el muchacho Medea? ¿No hubiera sido fuerte? ¡Cuerpo duro como la piedra, hecho para tomar y marcharse después, firme, intacto, entero! ¡Ah, entonces hubiera podido venir Jasón, con sus grandes manos temibles, hubiera podido intentar posarlas sobre mí! Un cuchillo, cada uno en la suya, ¡sí!, y el más fuerte mata al otro y se va liberado. ¡Ni esa lucha en la que yo sólo quería tocar los hombros, ni esa herida que imploré! ¡Mujer! ¡Mujer! ¡Perra! ¡Carne hecha de un poco de barro y de una costilla de hombre! ¡Trozo de hombre! ¡Puta!

La nodriza *(la besa)*: ¡Tú no, tú no, Medea!

Medea: ¡Yo como las demás!... Más cobarde y más abierta que las demás. ¡Diez años! Pero esta noche se acabó, nodriza, he vuelto a ser Medea. Qué bueno es.

La nodriza: Cálmate, Medea.

Medea: Me calmo, estoy suave. Mira qué suave estoy, nodriza, con qué suavidad hablo. Me muero. Suavemente lo mato todo en mí. Estrangulo.

La nodriza: Ven. Me das miedo, volvamos.

Medea: Yo también tengo miedo.

La nodriza: ¿Qué harán de nosotras ahora?

Medea: ¡Qué pregunta! ¡Lo que hay que preguntarse es qué vamos a hacer de ellos, vieja! Yo también tengo miedo, pero no de su música, de sus gritos, de su rey piojoso, de sus órdenes: ¡De mí! ¡Jasón, tú la habías dormido y ahora Medea despierta! ¡Odio! ¡Odio! Gran ola bienhechora, me lavas y renazco.

La nodriza: Nos echarán, Medea.

Medea: Tal vez.

La nodriza: ¿Adónde iremos?

Medea: Siempre habrá un país para nosotras, buena mujer, de este lado de la vida o del otro, un país donde Medea será reina. ¡Negro reino mío, me eres restituido!

La nodriza *(gime)*: Habrá que embalar todo otra vez.

Medea: ¡Lo embalaremos, vieja, después!

La nodriza: ¿Después de qué?

Medea: ¿Lo preguntas?

La nodriza: ¿Qué quieres hacer, Medea?

Medea: Lo que hice por él cuando traicioné a mi padre, cuando tuve que matar a mi hermano para huir, lo que hice al viejo Pelias cuando intentó que Jasón se convirtiera en rey de su isla, lo que hice diez veces por él, pero al fin, esta vez, ¡por mí!

La nodriza: Estás loca, no puedes.

Medea: ¿Qué es lo que no puedo, buena mujer? Soy Medea, sola, abandonada delante de este carromato; a orillas de este mar extranjero, expulsada, deshonrada, odiada, pero nada es demasiado para mí. *(La música es más fuerte a lo lejos,* Medea *grita más fuerte* *que ella.)* ¡Qué entonen rápido el canto nupcial! Que adornen pronto a la novia en su palacio. Cómo tarda la boda de mañana... Ah, Jasón, tú me conocías sin embargo, sabes qué virgen poseíste en Cólquide. ¿Qué creías? ¿Que iba a echarme a llorar? Te seguí en la sangre y el crimen; necesitaré sangre y crimen para abandonarte.

La nodriza *(se lanza contra ella)*: ¡Calla, calla, te lo ruego! Entierra tus quejas en el fondo del corazón, entierra tu odio. Aguanta, ¡Esta noche son más fuertes ellos que nosotras!

Medea: ¿Y eso qué importa, nodriza?

La nodriza: Te vengarás, mi loba, te vengarás, mi buitre... Tú también les harás daño un día. Pero no somos nadie aquí. Dos extranjeras en su carromato, con el viejo caballo; dos ladronas de gallinas apedreadas por los niños. Espera un día, espera un año, pronto serás la más fuerte.

Medea: ¿Más fuerte que esta noche? Jamás.

La nodriza: ¿Pero qué puedes en esta isla enemiga? Colcos está lejos y aun de Colcos te han echado. Y ahora Jasón también nos deja. ¿Qué te queda?

Medea: ¡Yo!

La nodriza: ¡Pobre! Creón es rey y nos ha tolerado en este páramo porque ha querido. A una palabra suya, si lo permite, estarán todos aquí con sus cuchillos y sus palos. Nos matarán.

Medea *(despacito)*: Nos matarán. Pero demasiado tarde.

La nodriza *(se arroja a sus pies)*: ¡Medea, soy vieja, no quiero morir! Te he seguido, lo he dejado todo por ti, pero la tierra todavía está llena de cosas buenas: el sol en el banco al hacer alto, la sopa caliente a mediodía, en la mano las moneditas ganadas, el traguito que calienta el corazón antes de dormir.

Medea *(la rechaza con el pie, despreciativa)*: ¡Vejestorio! Yo también hubiera querido vivir, ayer, pero ya no se trata de vivir o de morir.

La nodriza *(aferrada a sus piernas)*: ¡Quiero vivir, Medea!

Medea: Lo sé, todos queréis vivir. También porque Jasón quiere vivir, se marcha.

La nodriza *(súbitamente innoble)*: Tú ya no lo amas, Medea. Hace tiempo que no lo deseas. Todo se sabe, cuando se vive amontonados en un carromato. Él fue el primero en decirte que tenía mucho calor una noche, que quería llevarse el jergón afuera. Tú lo dejaste y te oí suspirar de satisfacción al estirarte, aquella noche, con toda la cama para ti sola. Matamos por un hombre que todavía nos posee, no por un hombre a quien dejamos salir de la cama a la noche.

Medea *(la toma por el cuello y la levanta brutalmente a la altura de su cara)*: ¡Cuidado, mujer! Sabes demasiado, hablas demasiado. He bebido tu leche, está bien, y he tolerado tus jeremiadas. Pero Medea, tú lo sabes, no ha crecido con leche. No te debo más que a la cabra de quien hubiera podido mamar en cambio de ti. Escucha, pues, harto me has hablado de tus huesos, de tu traguito, del sol sobre tu carne podrida... A fregar, vieja, a la escoba, a las mondaduras, con las otras de tu raza. Nuestro juego no es para vosotras. ¡Y si también reventáis en él, por descuido y sin comprender, es lástima, pero eso es todo! *(La arroja brutalmente al suelo. En ese momento la vieja grita.)*

La nodriza: ¡Cuidado, Medea, ahí vienen! *(Medea se vuelve; Creón está delante de ella, rodeado por dos o tres hombres.)*

Creón: ¿Eres tú, Medea?

Medea: Sí.

Creón: Yo soy Creón, el rey de esta aldea.

Medea: Salud.

Creón: Tu historia ha llegado hasta mí. Tus crímenes son aquí conocidos. Por las noches, como en todas las islas de esta costa, las mujeres se los cuentan a los niños para asustarlos. Te he tolerado unos días en este páramo con tu carromato, ahora tendrás que marcharte.

Medea: ¿Qué hice yo a las gentes de Corinto? ¿Robé sus corrales? ¿Están enfermos los animales? ¿Envenené las fuentes cuando fui en busca de agua para la comida?

Creón: Nada aún, no. Pero puedes hacer todo eso algún día. Vete.

Medea: Creón, mi padre también es rey.

Creón: Lo sé. Ve a Colcos a quejarte.

Medea: Sea, regreso. Ya no aterraré a las matronas de tu aldea, mi caballo tampoco volverá a robar la hierba escasa de tu páramo. Regreso a Colcos, pero que aquél que me trajo me lleve.

Creón: ¿Qué quieres decir?

Medea: Devuélveme a Jasón.

Creón: Jasón es mi huésped, hijo de un rey que fue mi amigo, y es libre de hacer lo que quiera.

Medea: ¿Qué diablos hace en tu aldea? ¿A qué vienen esos disparos al aire, esos bailes, ese reparto de vino? Si ésta es la última noche que se me concede aquí, ¿por qué me impiden dormir tus honrados corintios?

Creón: He venido a decírtelo también. Esta noche se festejan las bodas de mi hija. Jasón la desposará mañana.

Medea: ¡Larga vida, larga dicha a los dos!

Creón: No necesitarán tus votos.

Medea: ¿Por qué rechazarlos, Creón? Invítame a mí también a la boda. Preséntame a tu hija. Puedo serle útil, ¿sabes? Hace diez años que soy la mujer de Jasón, tengo mucho que enseñarle a ella, que lo conoce desde hace sólo diez días.

Creón: Para que no se produjera esa escena he decidido que abandones Corinto esta noche. Prepara el carro, lía tus bártulos; tienes una hora para cruzar la frontera. Estos hombres te guiarán.

Medea: ¿Y si me niego a moverme?

Creón: Los hijos del viejo Pelias a quien asesinaste han pedido tu cabeza a todos los reyes de esta costa. Si te quedas, te entrego a ellos.

Medea: Son tus vecinos. Son fuertes. Los reyes se brindan estos favores. ¿Por qué no lo haces tú en seguida?

Creón: Jasón me ha pedido que te deje partir.

Medea: ¡El bueno de Jasón! Tengo que darle las gracias, ¿no es cierto? ¿Me ves torturada por los tesalios el día mismo, de sus bodas? ¿Me ves en el proceso, a algunas leguas de Corinto, diciendo en voz alta por quién hice matar a Pelias? Por el yerno, jueces honestos, por el distinguido yerno de ese buen rey vecino con quien mantenéis las mejores relaciones posibles... ¡Con harta ligereza cumples tu oficio de rey, Creón! En el palacio de mi padre tuve tiempo de aprender que no se gobierna así. Hazme matar en seguida.

Creón *(sordamente)*: Debería hacerlo, sí. Pero he prometido dejarte partir. Tienes una hora.

Medea *(se planta frente a él)*: Creón, eres viejo. Hace mucho que eres rey. Has visto muchos hombres y muchos esclavos. Has hecho mucha cocina innoble. Mírame a los ojos y reconóceme. Soy Medea. La hija de Eates, que hizo degollar a otros hombres cuando fue preciso, y más inocentes que yo, te lo aseguro. Soy de tu raza. De la raza de los que juzgan y deciden sin volverse atrás y sin remordimientos. Tú no procedes como rey, Creón. Si quieres que Jasón sea para tu hija, hazme matar en seguida junto con la vieja y los niños que duermen allí, y el caballo. Quema todo en este páramo con dos hombres de confianza y dispersa después las cenizas. Que sólo reste de Medea una gran mancha negra en esta hierba y un cuento para asustar a los niños de Corinto por las noches.

Creón: ¿Por qué quieres morir?

Medea: ¿Por qué quieres que viva ahora? Ni tú, ni yo, ni Jasón tenemos interés en que siga viviendo dentro de una hora, bien lo sabes.

Creón *(hace un gesto; dice de pronto con voz sorda)*: Ya no me gusta la sangre.

Medea *(le grita)*: ¡Entonces eres demasiado viejo para ser rey! Pon a tu hijo en tu lugar, que haga el trabajo como es debido, y tú, vete a cuidar tus viñas al sol. ¡Ya no sirves nada más que para eso!

Creón: ¡Orgullosa! ¡Furia! ¿Crees que vine a buscarte para recibir tus consejos?

Medea: ¡No has venido a buscarlos, pero te los doy! Estoy en mi derecho. Y el tuyo es hacerme callar, si tienes fuerzas. Eso es todo.

Creón: He prometido a Jasón que te marcharías sin daño.

Medea *(se ríe)*: ¡Sin daño! No me marcharé sin daño, como tú dices. ¡Sería demasiado lindo que no sufriera, daño, por añadidura! Que desapareciera, que me anulara. Una sombra, un recuerdo, un error lamentable, esa Medea arrastrada diez años. ¡Todo es un sueño de Jasón! Puede escamotearme, esconderse en medio de los guardias en tu palacio, enterrarse en la inocencia de tu hija y llegar a ser rey de Corinto a tu muerte; sabe que su nombre y el mío están unidos por los siglos de los siglos. ¡Jasón Medea! Ya no se separarán. Échame, mátame, es lo mismo. Con él, tu hija me desposa, lo quieras o no me aceptas con él. *(Le grita.)* ¡Creón, sé rey! Haz lo que corresponde. Echa a Jasón. De mis crímenes, tiene la mitad; las manos que van a tocar la piel de tu hija están rojas de la misma sangre. Danos una hora, menos de una hora a los dos. Estamos acostumbrados a huir juntos después de dar el golpe. Los bártulos, te lo aseguro, se lían rápido.

Creón: No. Vete sola.

Medea *(de pronto suavemente)*: Creón, no puedo suplicarte. No puedo. Mis rodillas no pueden doblarse, mi voz no puede hacerse humilde. Pero tú eres humano, ya que no has podido decidir mi muerte. No me dejes partir sola. ¡Devuelve a la exiliada su navío, devuélvele su compañero! Yo no estaba sola cuando vine. ¿Por qué distinguir ahora entre nosotros? Por Jasón maté a Pelias, traicioné a mi padre y en la huida sacrifiqué a mi hermano inocente. Soy de él, soy su mujer y cada uno de mis crímenes es suyo.

Creón: Mientes. Lo he considerado todo. Jasón es inocente sin ti; separado de la tuya, su causa es defendible, tú sola te has manchado... Jasón es de los nuestros, hijo de uno de nuestros reyes; su juventud, como tantas otras, tal vez ha sido loca; ahora es un hombre que piensa como nosotros. Sólo tú vienes de lejos, sólo tú eres aquí extranjera con tus maleficios y tu odio. Vuelve al Cáucaso, busca un hombre de tu raza, un bárbaro como tú, y déjanos bajo este cielo razonable, al borde de este liso mar que nada tiene que hacer con tu pasión desordenada y con tus gritos.

Medea *(después de una pausa)*: Está bien, me iré. Pero mis hijos, ¿de qué raza son? ¿De la del crimen o de la de Jasón?

Creón: Jasón piensa que no harían más que estorbar tu fuga. Déjalos con nosotros. Crecerán en mi palacio. Te prometo mi protección para ellos.

Medea *(Suavemente)*: Debo dar de nuevo las gracias, ¿no es cierto? Sois humanos, además sois justos todos, y sin odio

Creón: Guárdate las gracias. Vete. La hora corre y cuando la luna esté en lo alto del cielo aquí nada te protegerá. La orden ha sido dada.

Medea: Aunque bárbara, aunque extranjera, y por rudo que sea el Cáucaso de donde vengo, allí las madres tienen a sus pequeños, Creón, apretados contra ellas, como las demás. Las bestias de la selva también lo hacen... Ahí están durmiendo. Estos gritos, esas antorchas en la noche, esas manos desconocidas que me los arrancan y se los llevan, tal vez sean mucho para pagar los crímenes de su madre. Déjame hasta mañana. Los despertaré como de costumbre y te los enviaré. ¡Cree a Medea, rey! Apenas hayan doblado el camino, me marcharé.

Creón *(la mira un instante en silencio; súbitamente dice)*: Sea. *(Añade con voz sorda, sin quitarle los ojos de encima.)* Ya ves, estoy viejo. Una noche es demasiado para ti. El necesario para diez de tus crímenes. Debería rechazar tu ruego... Pero yo también, Medea, he matado mucho. Y en las aldeas conquistadas donde entré a la cabeza de mis soldados borrachos, muchos niños... Entrego al destino, en compensación, la noche tranquila de esos dos. Que de ellos se sirva, si quiere, para perderme. *(Sale, seguido por sus hombres. No bien desaparece, el rostro de* Medea *se anima y le grita con todas sus fuerzas, escupiendo hacia él.)*

Medea: ¡Cuenta con ello, Creón! ¡Cuenta con Medea! ¡Hay que ayudar un poco al destino! Has perdido las garras, viejo león, si te convencen los ruegos, si quieres rescatar niños muertos... Ah, quieres dejar dormir a esos dos porque algo te hace cosquillas en el fondo del pecho, al pensar en todos los que mataste, cuando te quedas solo por la noche en el palacio vacío, después de la comida. Es tu estómago arruinado, vieja fiera. ¡No hay otra cosa! Bebe calditos, toma polvos y no te enternezcas contigo mismo, tan bueno el viejo Creón a quien conoces tan bien, un buen hombre en el fondo, un incomprendido, pero que de todos modos degolló su buena ración de inocentes cuando aún tenía dientes y miembros sólidos. Las fieras matan a los lobos viejos para evitar esas marchas atrás, esos enternecimientos últimos. No esperes que te sean tenidos en cuenta. ¡Soy Medea, viejo cocodrilo! Yo haré justicia, si los dioses se dejaran conmover. El bien y el mal me conocen. Sé que se paga al contado, que todos los golpes son buenos y que debemos servirnos solos, en seguida. ¡Y ya que tu sangre enfriada, tus glándulas muertas te han hecho bastante cobarde para concederme esta noche, vas a pagarla! *(Grita a* La nodriza.*)* ¡Los paquetes, vieja! Guarda la marmita, enrolla las mantas, unce el caballo. Nos marcharemos dentro de una hora.

Jasón *(aparece)*: ¿Adónde vas?

Medea *(le hace frente)*: ¡Huyo, Jasón! Huyo. Para mí no es nuevo cambiar de residencia. Lo nuevo es la causa de mi huida, porque hasta ahora he huido por ti.

Jasón: Vine detrás de ellos. Esperé que se alejaran para verte sola.

Medea: ¿Todavía tienes algo que decirme?

Jasón: Imagínate. En todo caso, debo escuchar lo que tienes que decirme antes de partir.

Medea: ¿Y no sientes miedo?

Jasón: Sí.

Medea *(se le acerca despacito y dice de pronto)*: Te miro... ¡Te he querido! Diez años dormí a tu lado. ¿He envejecido como tú, Jasón?

Jasón: Sí.

Medea: Vuelvo a verte de pie, como ahora, delante de mí, la primera noche de Cólquide. Aquel héroe moreno que bajaba de su barca, aquel niño mimado que quería el vellocino de oro y que no debía morir, ¿eras tú, te parece?

Jasón: Era yo.

Medea: ¡Hubiera debido dejar que afrontaras solo a los toros, a los gigantes que surgieron armados de la tierra, al dragón que guardaba el vellocino!

Jasón: Tal vez.

Medea: Hubieras muerto. ¡Qué fácil sería un mundo sin Jasón!

Jasón: ¡Un mundo sin Medea! Yo también he soñado con él.

Medea: Pero este mundo comprende a Jasón y a Medea, y hay que tomarlo como es. Y será inútil que pidas auxilio a tu suegro, que me hagas conducir a la frontera por sus hombres; un mar o dos no son bastante entre nosotros, lo sabes. ¿Por qué le impediste que me matara?

Jasón: Porque has sido mucho tiempo mi mujer, Medea. Porque te he querido.

Medea: ¿Y ya no lo soy?

Jasón: No.

Medea: ¡Feliz Jasón liberado de Medea! ¿Tu repentino amor por esa bobita de Corinto, por su joven olor agrio, por sus apretadas rodillas de doncella es lo que te ha liberado?

Jasón: No.

Medea: ¿Quién, entonces?

Jasón: Tú. *(Una pausa. Están uno frente al otro. Se miran. Ella le grita de pronto.)*

Medea: ¡Nunca te liberarás, Jasón! ¡Medea será siempre... mujer! ¡Puedes ordenar mi exilio, mi estrangulación dentro de un instante cuando ya no puedas oírme gritar; nunca, nunca saldrá Medea de tu memoria! ¡Mira este rostro donde sólo lees odio, míralo con tu propio odio; el rencor y el tiempo pueden deformarlo, el vicio puede ahondar en él su huella; un día será el rostro de una vieja innoble que a todos inspirará horror, pero en él seguirás leyendo hasta el final el rostro de Medea!

Jasón: ¡No! Lo olvidaré.

Medea: ¿Lo crees? Irás a beber en otros ojos, a chupar la vida en otras bocas, a tomar un pequeño placer de hombre donde puedas. Oh, tendrás otras mujeres, tranquilízate, tendrás mil ahora, tú que estabas harto de tener sólo una. Nunca tendrás bastantes para encontrar ese reflejo en tus ojos, ese gusto en sus labios, ese olor de Medea en ellas.

Jasón: ¡De todo lo que quiero huir!

Medea: ¡Tu cabeza, tu sucia cabeza de hombre puede quererlo; tus manos desconcertadas buscan a pesar tuyo, en la sombra, en esos cuerpos extraños, la forma perdida de Medea. Tu cabeza te dirá que son mil veces más jóvenes o más bellas. Entonces no cierres los ojos, Jasón, no te dejes engañar un segundo. Tus manos obstinadas buscarían a pesar tuyo su lugar en tu mujer... Y será inútil que al final poseas mujeres parecidas a mí, Medeas nuevas en tu lecho de anciano; cuando la verdadera Medea sólo sea, en alguna parte, un odre de piel vieja lleno de huesos, desconocido, bastará un imperceptible grosor de una cadera, un músculo más corto o más largo, para que tus manos de joven, en el extremo de tus viejos brazos, recuerden todavía y se asombren de no encontrarla. ¡Córtate las manos, córtate las manos en seguida! Cambia de manos si quieres amar todavía.

Jasón: ¿Crees que te abandono para buscar otro amor? ¿Crees que es para comenzar de nuevo? ¡No sólo te odio a ti: odio al amor! *(Una pausa; se miran de nuevo.)*

Medea: ¿A dónde quieres que vaya? ¿A dónde me envías? ¿Iré a Phasis, a Cólquide, al reino paterno, a los campos bañados por la sangre de mi hermano? Me echas. ¿A qué tierras me ordenas ir sin ti? ¿A qué mares libres? ¿A los estrechos del Ponto, donde pasé detrás de ti, trampeando, mintiendo, robando por ti; a Lemnos, donde no me habrán olvidado; a Tesalia, donde me esperan para vengar a su padre, muerto por ti? Todos los caminos que te he abierto, me los he cerrado. Soy Medea, cargada de horror y de crímenes. Tú puedes no conocerme ya; ellos todavía me conocen. ¡Qué estorbo, ¿eh?, un viejo cómplice! Debías dejar que me mataran, ya lo ves.

Jasón: Te salvaré.

Medea: ¡Me salvarás! ¿Qué salvarás? ¿Esta piel gastada, esta osamenta de Medea buena para arrastrar en el tedio y el odio a cualquier parte? ¡Un poco de pan y una casa en alguna parte y que envejezca, ¿verdad?, en el silencio, que no vuelva a oírse hablar de ella, vamos! ¿Por qué eres cobarde, Jasón? ¿Por qué no llegas hasta el final? ¡Sólo hay un lugar, una morada donde por fin Medea callará! La paz que tú quisieras que tuviese, para poder vivir, dámela. Anda y dile a Creón que aceptas. Será tan solo un breve instante duro de pasar. Ya has matado a Medea, hoy, bien lo sabes. Medea ha muerto. ¿Qué importa un poco de sangre de Medea? En el suelo un charco de sangre que será lavada, una caricatura fija en un rictus de horror que alguien esconderá en alguna parte, en un agujero. Nada. ¡Termina, Jasón! No puedo aguantar la espera. Anda y díselo a Creón.

Jasón: No.

Medea (*con más suavidad*): ¿Por qué ¿Crees que un músculo desgarrado, una piel hendida es más?

Jasón: Tampoco quiero tu muerte. Tu muerte sigue siendo tú. Quiero el olvido y la paz.

Medea: ¡Nunca más los tendrás, Jasón! Los perdiste

en Cólquide aquella noche en el bosque donde me tomaste en tus brazos. Muerta o viva, Medea está ahí, delante de tu alegría y de tu paz, montando guardia. El diálogo que comenzaste con ella, lo terminarás ahora sólo con tu muerte. Después de las palabras del cariño y el amor, habrán llegado los insultos y las escenas, el odio ahora, sea, pero siempre hablas con Medea. Para ti el mundo es Medea, por siempre.

Jasón: ¿Así que el mundo ha sido siempre Jasón para ti?

Medea: ¡Sí!

Jasón: ¡Pronto olvidas! No he venido a verte para tener una última escena doméstica, ¿pero quién desertó primero del lecho donde nos afirmas unidos para siempre? ¿Quién aceptó primero otras manos en su piel, el peso de otro hombre en su vientre?

Medea: ¡Yo!

Jasón: Creí que habías olvidado también por qué nos escapamos de Naxos.

Medea: Tú ya te escapabas. Tu cuerpo reposaba a mi lado todas las noches, pero en tu cabeza, en tu sucia cabeza de hombre, cerrada, forjabas ya otra dicha sin mí. ¡Entonces intenté huir primero de ti, sí!

Jasón: Huir es una palabra cómoda.

Medea: No tanto, ¿sabes?, porque no pude. Aquellas manos, aquel otro olor, el mismo placer que tú ya no me dabas, los odié en seguida. Te ayudé a matarlo, te dije la hora. Fui tu cómplice contra él. Te lo vendí. ¿Has olvidado la noche en que te dije: "Ven, ahí está, puedes tomarlo"?

Jasón: ¡No hables nunca más de aquella noche!

Medea: Fui innoble, ¿eh?, aquella noche, dos veces. Y me despreciabas, me odiabas con todas tus fuerzas y no tenía otra cosa que esperar de ti fuera de esa mirada fría, pero a pesar de todo te supliqué que me llevaras contigo. ¡Sin embargo, mi pastor de Naxos era hermoso!, ¿sabes, Jasón? ¡Era joven y me amaba!

Jasón: ¿Por qué no le dijiste a él que me matara? Ahora yo dormiría lejos de ti; hubiera terminado.

Medea: ¡No pude! Tuve que pegarme a ti como una mosca, tuve que proseguir mi camino contigo; tuve que acostarme al día siguiente junto a tu cuerpo hastiado para poder dormirme al fin. ¿Crees que no me he despreciado mil veces más que tú? Aullé sola delante del espejo, me desgarré con mis propias uñas por ser una perra que volvía a acostarse en su agujero. Las bestias olvidan, se separan por lo menos una vez muerto el deseo... ¡Sin embargo, te conocía, héroe para mujeres de Corinto! Yo te he pesado. Sé lo que puedes dar. Pero ya ves, todavía estoy aquí.

Jasón: ¡Tal vez mandaste matar demasiado pronto a tu pastor!

Medea *(le arroja de pronto)*: Lo intenté, Jasón, ¿no lo supiste? Ensayé también con otros, después. ¡No pude! *(Una pausa. Jasón dice de improviso con más suavidad.)*

Jasón: Pobre Medea...

Medea *(se yergue delante de él como una furia)*: ¡Te prohíbo la piedad!

Jasón: ¿Me permites el desprecio? ¡Pobre Medea, estorbo de ti misma! Pobre Medea a quien el mundo jamás remite sino a Medea. Puedes prohibir la compasión. Nadie tendrá compasión de ti nunca. Y si hoy me enterara de tu historia, yo tampoco podría tenerla. El hombre Jasón te juzga junto con los otros hombres. Y tu caso está decidido para siempre. ¡Medea! Sin embargo es un hermoso nombre, sólo tú habrás sido su única dueña en este mundo. ¡Orgullosa! Al rinconcito oscuro donde escondes tus alegrías llévate ésta: nunca habrá otras Medeas en esta tierra. Las madres nunca llamarán a sus hijas con ese nombre. Estarás sola, hasta el fin de los tiempos, como en este instante.

Medea: ¡Me alegro!

Jasón: ¡Te alegras! Yérguete, aprieta los puños, escupe, patalea... Cuantos más seamos a juzgarte, a odiarte, mejor será, ¿no es cierto? Más se ampliará el círculo a tu alrededor, más sola estarás, más daño tendrás para odiar mejor tú también, mejor será. Pues bien, esta noche no estás sola, lo siento... Yo, que más he padecido por ti, yo, a quien elegiste entre todos para devorar, tengo piedad de ti.

Medea: No.

Jasón: Tengo piedad de ti, Medea que sólo te conoces a ti misma, que no puedes dar sino para tomar, tengo piedad de ti, siempre ligada a ti misma, rodeada de un mundo visto por ti...

Medea: ¡Guárdate tu compasión! Medea herida es temible todavía. ¡Mejor es que te defiendas!

Jasón: Pareces una bestezuela despanzurrada que se debate enredada en sus tripas y todavía baja la cabeza para atacar.

Medea: La cosa se pone fea, Jasón, para los cazadores que se permiten esos enternecimientos en lugar de volver a cargar el arma. ¿Sabes todo lo que puedo todavía?

Jasón: Sí, lo sé.

Medea: ¡Sabes que no me enterneceré, que no empezaré a apiadarme a último momento! ¿Me has visto hacer frente y arriesgarlo todo otras veces, por mucho menos?

Jasón: Sí.

Medea *(grita)*: ¿Entonces qué quieres? ¿Por qué vienes a embrollarlo todo de pronto con tu compasión? Soy vil, lo sabes. Te he traicionado como a los demás. Sólo sé hacer daño. No puedes más conmigo y presientes qué crimen preparo. ¡Cuídate, vamos! ¡Retrocede! ¡Llama a los otros! ¡Defiéndete en lugar de mirarme así!

Jasón: No.

Medea: ¡Soy Medea! ¡Soy Medea, te equivocas! Medea que jamás te ha dado sino vergüenza. He mentido, he trampeado, he robado, soy sucia... Por mi causa huyes y todo está manchado de sangre a tu alrededor. Soy tu desgracia, Jasón, tu úlcera, tus costras. Soy tu juventud perdida, tu hogar disperso, tu vida errante, tu soledad, tu mal vergonzoso. Soy todos los gestos sucios y todos los pensamientos sucios. Soy el orgullo, el egoísmo, la crápula, el vicio, el crimen. ¡Hiedo! ¡Hiedo, Jasón! Todos me temen y retroceden. Sin embargo tú sabes que soy todo esto y que pronto seré la decadencia, la fealdad, la vejez rencorosa. Todo lo negro y feo que hay en la tierra, yo lo he recibido en depósito. Entonces, si lo sabes, ¿por qué no dejas de mirarme así? No quiero saber nada de tu cariño. No quiero saber nada de tus ojos buenos. (*Grita delante de él.*) ¡Detente, detente, Jasón, o te mato en seguida para que no sigas mirándome así!

Jasón *(suavemente)*: Tal vez sería lo mejor, Medea.

Medea *(lo mira y dice simplemente)*: No. Tú no.

Jasón *(se le acerca y le toma el brazo)*: Entonces escúchame. No puedo impedir que seas tú. No puedo impedir que hagas el daño que llevas en ti. Además, la suerte está echada. Estos conflictos insolubles tienen un desenlace como los otros, y sin duda alguien sabe ya cómo terminará todo. No puedo impedir nada. Apenas desempeñar el papel que desde siempre me ha sido encomendado. Pero lo que puedo es decirlo todo una vez. Las palabras no son nada, pero sin embargo hay que decirlas. Y si he de figurar, esta noche, en el número de muertos de esta historia, quiero morir lavado de mis palabras... Te he querido, Medea, como un hombre quiere a una mujer, primero. Sin duda sólo conociste o gustaste este amor, pero te he dado más que un amor de hombre, tal vez sin que lo supieras. Me perdí en ti como un chiquillo en la mujer que lo echó al mundo. Durante mucho tiempo has sido mi patria, mi luz, has sido el aire que respiraba, el agua que era preciso beber para vivir y el pan de cada día. Cuando te poseí en Colcos, tú sólo eras una mujer más hermosa y más dura que las otras, a quien había conquistado junto con el vellocino y te llevaba conmigo. ¿Ese Jasón es el que echas de menos? Te llevaba como el oro de tu padre, para gastarte en seguida, para usarte gozosamente como él. Y además, Dios mío, me quedaba mi barca, mis compañeros fieles y otras aventuras por correr. Primero te quise como tú, Medea: a través de mí. El mundo era Jasón, la alegría de Jasón, su valor y su fuerza, su hambre. Y si los dos teníamos grandes dientes, ya se vería quién devoraba al otro... Y una noche, una noche parecida sin embargo a todas las otras, te dormiste en la mesa como una chiquilla, con la cabeza apoyada en mí. Y esa noche en que quizá sólo estabas fatigada del camino demasiado largo, de pronto te sentí a mi cuidado. Un minuto antes era todavía Jasón y sólo debía tomar mi placer de este mundo, duramente. Bastó que te callaras, que tu cabeza se deslizara sobre mi hombro y aquello terminó... Los otros continuarían riendo o hablando a mi alrededor, pero yo acababa de abandonarlos. El joven Jasón había muerto. Yo era tu padre y tu madre; era el que llevaba sobre sí la cabeza de Medea dormida. ¿Con qué soñabas tú, en tu pequeño cerebro de mujer, mientras yo te cuidaba? Te llevé a nuestro lecho y no te amé, ni siquiera te deseé aquella noche. Tan sólo te miré dormir. La noche era serena, hacía mucho que habíamos dejado atrás a los perseguidores de tu padre, mis compañeros velaban en armas a nuestro alrededor y sin embargo no me atreví a cerrar los ojos. Te defendí, Medea –por lo demás contra nada–, toda aquella noche. A la mañana la huida continuó y los días se parecieron a los otros, pero poco a poco todos los mozos que primero me siguieron por el mar desconocido, todos los muchachitos de Colcos que estaban dispuestos a atacar a los monstruos con sus armas frágiles a una señal mía, tuvieron miedo. Comprendieron que ya no era su jefe, que ya no los llevaría a buscar nada, en ninguna parte, ahora que te había encontrado. Sus miradas eran tristes y un poco desdeñosas quizá, pero no me hicieron reproches. Compartimos el oro y nos dejaron. Entonces el mundo adquirió su forma. La forma que creí verle conservar siempre. El mundo se convirtió en Medea… ¿Has olvidado los días en que no hacíamos nada, en que no pensábamos nada el uno sin el otro? Dos cómplices ante la vida que se había vuelto dura, dos hermanitos que llevaban su bolsa uno al lado del otro, semejantes, en la vida y en la muerte, remangados, y nada de historias, la mitad de los cachivaches para cada uno, cada uno con su cuchillo en los golpes bravos, la mitad de las fatigas, la mitad de la botella para cada uno en la comida. Te hubiera avergonzado tendiéndote la mano en los pasos difíciles, ofreciéndote ayuda. Jasón comandaba un solo pequeño argonauta. Mi breve ejército frágil, de pelo recogido en un pañuelo, de ojos claros y directos, eras tú. ¡Pero aún podía conquistar el mundo con mi pequeña tropa fiel!… La primera mañana, en el Argos, con mis treinta marineros que me habían dado su vida, no me sentí tan fuerte… Y a la noche, en la parada, el soldado y el capitán se desvestían uno al lado del otro, sorprendidos de encontrarse siendo un hombre y una mujer bajo sus dos blusas semejantes, sorprendidos de amarse. Podemos ser desgraciados ahora, Medea, podemos desgarrarnos y sufrir. Aquellos días nos fueron dados, y jamás habrá vergüenza o sangre que los manchen… *(Un silencio. Medita un poco. Medea se acuclilla en el suelo mientras Jasón habla, rodeando sus rodillas con los brazos, la cabeza escondida. El se acuclilla en el suelo a su lado sin mirarla.)* Después, el soldadito recobró su rostro de mujer y el capitán debió convertirse también en un hombre y empezamos a hacernos daño. Otras mujeres pasaron por las calles y yo no podía dejar de mirarlas. Por primera vez oí estallar, asombrado, tu risa entre otros hombres, y después vinieron tus mentiras. Primero una sola, que nos siguió largo tiempo como un bicho venenoso, cuya mirada no nos atrevíamos a afrontar al apartarnos; luego otras, cada día más numerosas. Y por la noche, cuando nos amábamos en silencio, avergonzados de nuestros cuerpos todavía cómplices, todo el hato de mentiras bullía y respiraba alrededor de nosotros en la oscuridad. El odio debió nacer de una de esas luchas sin ternura, y desde entonces fuimos tres los que huían, el odio entre nosotros. ¿Pero por qué repetir lo que está muerto? Mi odio también ha muerto... *(Se detiene. Medea dice despacito.)*

Medea: Si sólo velamos cosas muertas, ¿por qué nos duele tanto a los dos, Jasón?

Jasón: Porque en este mundo para todas las cosas es difícil nacer y también es difícil morir.

Medea: ¿Has sufrido?

Jasón: Sí.

Medea: Al hacer lo que hacía, yo no era más feliz que tú.

Jasón: Lo sé. *(Una pausa.)*

Medea *(pregunta sordamente)*: ¿Por qué te quedaste tanto tiempo?

Jasón *(hace un gesto)*: Te he amado, Medea. He amado nuestra vida insensata. He amado el crimen y la aventura contigo. Y nuestros abrazos, nuestras sucias luchas de vagabundos, y aquel entendimiento de cómplices que recuperábamos por la noche, en el jergón, en un rincón del carromato, después de nuestras fechorías. He amado tu mundo negro, tu audacia, tu rebeldía, tu connivencia con el horror y la muerte, tu rabia destructora. Creí contigo que siempre debíamos tomar y luchar y que todo estaba permitido.

Medea: ¿Y no lo crees esta noche?

Jasón: No. Ahora quiero aceptar.

Medea *(murmura)*: ¿Aceptar?

Jasón: Quiero ser humilde. Quiero que este mundo, este caos donde me conducías de la mano, adquiera por fin una forma. Seguramente aciertas cuando dices que no hay razón, no hay luz, no hay tregua, que es preciso seguir hollando con las manos ensangrentadas, estrangular y desechar todo lo que se arrebata. Pero ahora quiero detenerme y ser un hombre. Hacer sin ilusiones quizá, como aquellos que despreciábamos, lo que hicieron mi padre y todos los que aceptaron, antes que nosotros, y con más simplicidad que nosotros; desbrozar un pequeño espacio para que viva el hombre en este desorden, en esta noche.

Medea: ¿Podrás hacerlo, te parece?

Jasón: Sin ti, sin tu veneno bebido todos los días, podré, sí.

Medea. Sin mí. ¿Así que has podido imaginar un mundo sin mí?

Jasón: Lo intentaré con todas mis fuerzas. En la actualidad ya no soy bastante joven para sufrir. A esas contradicciones espantosas, a esos abismos, a esas heridas, respondo ahora con el gesto más sencillo que han inventado los hombres para vivir: los hago a un lado.

Medea: Hablas suavemente, Jasón, y dices palabras terribles. ¡Qué seguro estás de ti, qué fuerte eres!

Jasón: ¡Sí, soy fuerte!

Medea: Raza de Abel, raza de los justos, raza de los ricos, con qué tranquilidad habláis. Es bueno, ¿verdad?, tener el cielo de parte de uno y también la policía... Es bueno pensar un día como nuestro padre y el padre de nuestro padre, como todos los que han tenido razón desde siempre. Es bueno ser bueno, ser noble, ser honrado. Y todo esto cae una linda mañana, como por casualidad, cuando llegan las primeras fatigas, las primeras arrugas, las primeras canas. ¡Préstate al juego, Jasón, haz el gesto, di que sí! ¡Tú te preparas una hermosa vejez!

Jasón: Hubiera querido hacer contigo ese gesto, Medea. Lo hubiera dado todo para que envejeciéramos los dos juntos en un mundo sosegado. Fuiste tú quien no lo quiso.

Medea: ¡No!

Jasón. Sigue tu curso. Revuélvete, desgárrate, lucha, desprecia, insulta, mata, rechaza todo lo que no es tú. Yo me detengo. Me conformo. Acepto estas apariencias con tanta dureza, con tanta resolución como las rechacé otras veces contigo. Y si es preciso continuar luchando, ahora lucharé por ellas, humildemente, negado a ese muro irrisorio construido por mis manos entre la nada absurda y yo. *(Una pausa. Añade.)* Y eso es, sin duda, al fin de cuentas y no otra cosa, ser un hombre.

Medea: No lo dudes, Jasón. Ahora eres un hombre.

Jasón: Acepto tu desprecio junto con ese nombre. *(Se levanta.)* La muchacha es hermosa. Menos hermosa que tú cuando te presentaste aquella primera noche de Cólquide, y nunca la querré como te he querido. Pero es nueva, es sencilla, es pura. Voy a recibirla sin sonreír de manos de su padre y de su madre, dentro de un rato, bajo el sol de la mañana, con su vestido blanco y su cortejo de chiquillos... De sus dedos torpes de niña espero la humildad y el olvido. Y si los dioses lo quieren, lo que tú más odias en el mundo, lo que está más lejos de ti: la felicidad, la pobre felicidad. *(Un silencio; se calla. Medea murmura.)*

Medea: La felicidad... *(Otro silencio. Dice de pronto con una vocecita humilde, sin moverse.)* Jasón, es duro decirlo, casi imposible. Me estrangula y me da vergüenza. Si te dijera que ahora voy a hacer la prueba contigo, ¿me creerías?

Jasón: No.

Medea *(después de una pausa)*: Tendrías razón. *(Añade, con voz neutra.)* Bueno. Lo hemos dicho todo, ¿no es cierto?

Jasón: Sí.

Medea: Tú has terminado. Estás limpio. Ahora puedes irte. Adiós, Jasón.

Jasón: Adiós, Medea. No puedo decirte: sé feliz... Sé tú misma. *(Sale.)*

Medea *(murmura de nuevo)*: La felicidad de ellos... *(Se yergue de improviso y grita a* Jasón, *que ha desaparecido.)* ¡Jasón! No te vayas así. ¡Vuélvete! Grita algo. ¡Vacila, sufre! ¡Jasón, te lo suplico, basta un minuto de angustia o de duda en tus ojos para salvarnos todos!... *(Corre tras él, se detiene y grita de nuevo.)* ¡Jasón! Tienes razón, eres bueno, eres justo y todo cae sobre mis espaldas para siempre. ¡Pero por un instante, dúdalo! Vuélvete y quizá quede liberada... *(Su brazo cae, cansado.* Jasón *debe de estar lejos.* Medea *llama con otra voz.)* Nodriza. *(La nodriza aparece en el umbral del carromato.)* Pronto amanecerá. Despierta a los niños, vístelos como para una fiesta. Quiero que vayan a llevar mi regalo de bodas a la hija de Creón.

La nodriza: ¡Tu regalo, pobre! ¿Y qué te queda para dar?

Medea: En el escondrijo, el cofre negro que traje de Colcos. Tráelo.

La nodriza: ¡Tú habías prohibido que lo tocaran, que el mismo Jasón supiera que existía!

Medea: Ve a buscarlo, vieja, y sin hablar. Ya no tengo tiempo para escucharte. Ahora todo debe marchar terriblemente rápido. Dales el cofre a los niños y acompáñalos hasta la vista de la ciudad; que pregunten por el palacio del rey, que digan que es un regalo de su madre Medea para la novia... Que entreguen el cofre en sus manos y vuelvan. Escucha, escucha. El cofre contiene un velo de oro y una diadema, restos del tesoro de mi raza. Que los niños no lo abran. *(Grita de pronto, terrible, a la vieja vacilante.)* ¡Obedece! *(La vieja desaparece en el carromato. Volverá a salir más tarde silenciosamente con* los *niños.)*

Medea *(que se ha quedado sola)*: Ahora, Medea, tienes que ser tú misma... ¡Oh, mal! Gran bestia viviente que trepa por mí y me lame, tómame. Soy tuya esta noche, soy tu mujer. Penétrame, desgárrame, hínchate y arde en medio de mí. Ya ves, te acojo, te ayudo, me abro... Pesa sobre mí con tu gran cuerpo velludo, apriétame con tus grandes manos callosas, con tu aliento ronco sobre mi boca, ahógame. ¡Vivo por fin! Sufro y nazco. Son mis bodas. Por esta noche de amor contigo he vivido. Y tú, noche, noche pesada, noche rumorosa de gritos ahogados y de luchas, noche en que bullen los saltos de todas las bestias que se persiguen, se aman, se matan, aguarda un poco, por favor, no pases demasiado rápido... Oh bestias innumerables a mi alrededor, trabajadoras oscuras de este páramo, inocencias terribles, mortíferas... Esto es lo que los hombres llaman una noche tranquila, este gigantesco hormigueo de cópulas silenciosas y de crímenes. Pero yo os siento, yo os oigo a todas esta noche por primera vez, en el fondo de las aguas y de las hierbas, en los árboles, bajo la tierra... Una misma sangre late en nuestras venas. ¡Bestias de la noche, estranguladoras, hermanas mías! ¡Medea es una bestia como vosotras! Medea gozará y matará como vosotras. Este páramo linda con otros páramos y estos páramos con otros hasta el límite de la sombra, donde millones de bestias semejantes se aman y se matan al mismo tiempo. ¡Bestias de esta noche! Medea está aquí, de pie en medio de vosotras, consentidora, traicionando a su raza. Lanzo con vosotras vuestro grito oscuro. Acepto como vosotras, ya no quiero comprender la negra orden. Con el pie aplasto, apago, la lucecita. Realizo el gesto vergonzoso. Me hago cargo, asumo, reivindico. ¡Bestias, soy vosotras! ¡Todo lo que esta noche persigue y mata es Medea!

La nodriza *(entra de pronto)*: ¡Medea! Los niños han de haber llegado al palacio, un gran rumor se eleva de la ciudad. No sé cuál es tu crimen, pero ya resuena en el aire. Unce pronto el caballo, huyamos, ganemos la frontera.

Medea: ¿Huir yo? Si ya me hubiera marchado, volvería para gozar del espectáculo.

La nodriza: ¿De qué espectáculo?

El muchacho *(aparece)*: ¡Todo está perdido! La realeza, el Estado han caído. ¡El rey y su hija han muerto!

Medea: ¿Tan pronto? ¿Cómo?

El muchacho: Dos niños llegaron al alba con un presente para Creusa, un cofre negro que contenía un velo ricamente recamado en oro y una diadema preciosa. Apenas los tocó, apenas se adornó con ellos, como una chiquilla curiosa delante del espejo, Creusa cambió de color, cayó retorciéndose con horribles sufrimientos, desfigurada por el mal.

Medea *(grita)*: ¿Fea? Fea como la muerte, ¿verdad?

El muchacho: Creón acude, quiere alcanzarla, arranca el velo y el círculo de oro que matan a su hija, pero apenas los toca, él también palidece. Vacila un instante con el horror en los ojos, luego se desploma aullando de dolor. Ahora están tendidos uno junto al otro, expirando en sobresaltos, mezclando sus miembros, y nadie se atreve a acercarse a ellos. Pero corre el rumor de que tú has enviado el veneno. Los hombres se han apoderado de sus palos y sus cuchillos; acuden al carromato. He corrido delante, no tendrás siquiera tiempo de disculparte. Huye, Medea.

Medea *(grita)*: ¡No! *(Grita al chico que escapa:)* ¡Gracias, niño, gracias por segunda vez! ¡Huye tú! Es preferible no conocerme. ¡Mientras los hombres recuerden, será preferible no haberme conocido! *(Se vuelve hacia* La nodriza.*)* Toma el cuchillo, nodriza, degüella al caballo, que no quede nada de Medea dentro de un instante. Pon leña debajo del carromato, haremos una hoguera como en Cólquide. ¡Ven!

La nodriza: ¿A dónde me arrastras?

Medea: Tú lo sabes. La muerte, la muerte es ligera. ¡Sígueme, vieja, verás! Has terminado de arrastrar tus viejos huesos doloridos, has terminado de quejarte. ¡Por fin vas a descansar un largo domingo!

La nodriza *(se suelta aullando)*: ¡No quiero, Medea! ¡Quiero vivir!

Medea: ¿Cuánto tiempo, vejestorio, con la muerte sobre tu espalda? *(Los niños entran corriendo y se arrojan aterrados a las faldas de* Medea. *Ésta los detiene.)* Ah, ¿estáis aquí los dos? ¿Tenéis miedo? Todas esas gentes que corren y aúllan, esas campanas... Todo callará. *(Les tira las cabezas hacia atrás, mira sus ojos y murmura.)* ¡Inocencias! Trampa de los ojos de niño, bestezuelas solapadas, cabezas de hombre.

¿Tenéis frío? No os haré daño. Seré rápida. Sólo el tiempo para el asombro de la muerte en vuestros ojos. *(Los acaricia.)* Venid que os tranquilice, que os estreche un minuto, cuerpecitos cálidos. Se está bien junto a la madre; desaparece el miedo. Pequeñas vidas tibias salidas de mi vientre, pequeñas voluntades de vivir y de ser felices... *(Grita de de pronto.)* ¡Jasón! Aquí está tu familia, tiernamente unida. Mírala. Y ojalá puedas seguir preguntándote si Medea no hubiera amado también la felicidad y la inocencia. Si no hubiera podido ser también ella la fidelidad y la fe. Cuando dentro de un rato sufras, y hasta el día de tu muerte, piensa que hubo una pequeña Medea exigente y pura en otro tiempo. Una pequeña Medea tierna y amordazada en el fondo de la otra. ¡Piensa que luchó sola, desconocida, sin que le tendieran una mano, y que ella era tu verdadera mujer! Yo hubiera querido, Jasón, tal vez hubiera querido yo también que esto durara siempre y que fuera como en las historias. ¡Quiero, quiero aún en este instante, con tanta fuerza como cuando era pequeña, que todo sea luz y bondad! Pero Medea inocente ha sido elegida para ser la prosa y el lugar de la lucha... Otras más frágiles o más mediocres pueden deslizarse a través de las mallas de la red hasta las aguas calmas o el barro; los dioses abandonan la morralla. Medea era una pieza demasiado hermosa en la trampa; allí queda. No todos los días tienen los dioses esta ganga: un alma bastante fuerte para sus refriegas, para sus puercos juegos. Me han cargado con todo y miran cómo me debato. ¡Mira con ellos, Jasón, los últimos sobresaltos de Medea! Aún tengo inocencia que degollar en esta chiquilla que tanto hubiera amado y en estos dos trocitos tibios. ¡Allá arriba están aguardando esta sangre, no pueden resistir más la espera! *(Arrastra a los niños hacia el carromato.)* Venid, pequeños, no tengáis miedo. Ya veis, os acompaño, os acaricio y entramos los tres en casa... *(Entran en el carromato. La escena permanece vacía un instante. La nodriza reaparece, huraña, como una fiera que se esconde; llama.)*

La nodriza: ¡Medea! ¡Medea! ¿Dónde estás? ¡Ya llegan! *(Retrocede y grita de pronto.)* ¡Medea! *(Las llamas brotan de todas partes, rodean el carromato. Jasón entra rápidamente a la cabeza de los hombres armados.)*

Jasón: ¡Apagad el fuego! ¡Apoderaos de ella!

Medea *(aparece en la ventana del carromato y grita)*: ¡No te acerques, Jasón! ¡Prohíbeles que den un paso!

Jasón *(se detiene)*: ¿Dónde están los niños?

Medea: Sigue preguntándolo un instante más para que mire bien tus ojos. *(Le grita.)* ¡Han muerto, Jasón! Han muerto degollados los dos, y antes de que puedas dar un paso, con el mismo hierro me mataré. He recuperado mi cetro; mi hermano, mi padre y el vellocino de oro han sido devueltos a Cólquide: ¡he recobrado mi patria y la virginidad que me habías arrebatado! ¡Soy Medea, en fin, para siempre! Mírame antes de quedarte solo en ese mundo razonable, mírame bien, Jasón. Te he tocado con estas dos manos, las he posado en tu frente ardida para que fueran frescas, y otras veces ardientes sobre tu piel. Te hice llorar, te hice amar. Míralos, tu hermanito y tu mujer, soy yo. ¡Soy yo! ¡La horrible Medea! ¡Y ahora trata de olvidarlo! *(Se hiere y se desploma en las llamas que arrecian y envuelven el carromato. Jasón detiene con un gesto a los hombres que iban a saltar y dice sencillamente.)*

Jasón: Sí, te olvidaré. Sí, viviré y a pesar de la huella sangrienta de tu paso a mi lado, reharé mañana con paciencia mi pobre andamiaje de hombre bajo el ojo indiferente de los dioses. *(Se vuelve hacia los hombres.)* Que uno de vosotros vigile en torno al fuego hasta que no haya sino cenizas, hasta que el último hueso de Medea haya ardido. Vosotros, venid. Volvamos al palacio... Ahora es preciso vivir, asegurar el orden, dar leyes a Corinto y reconstruir sin ilusiones un mundo a nuestra medida para aguardar en él la muerte. *(Sale con los hombres salvo uno que, mascando tabaco, monta guardia morosamente delante de la hoguera. La nodriza entra y se acurruca a su lado a la luz del día que comienza.)*

La nodriza: Ni siquiera tenían tiempo de escucharme. Sin embargo yo tenía algo que decir. Después de la noche viene la mañana y hay que hacer el café y luego las camas. Y después de barrer, quedar un ratito tranquila al sol antes de limpiar las legumbres. Entonces sí es bueno, cuando una ha podido sisar unos centavos, un traguito caliente en el fondo del estómago. Después, a tomar la sopa y a lavar los platos. Por la tarde, la ropa blanca y los cobres, y un poco de charla con las vecinas hasta que llega despacito la cena... Entonces acostarse y dormir.

El guardia *(después de una pausa)*: Hoy estará bueno el tiempo.

La nodriza: Será un buen año. Habrá sol y vino. ¿Y el trigo?

El guardia: Segamos la semana pasada. Volveremos mañana o pasado si el tiempo se mantiene así.

La nodriza: ¿La cosecha será buena para ustedes?

El guardia: No hay motivo de queja. Habrá pan para todo el mundo este año. *(Mientras hablan, cae el*

TELÓN.*)*

Romeo y Jeannette

Personajes

Frédéric
Jeannette
Julia
Lucien
El padre
La madre
El cartero

Acto I

En una gran casa sombría y destartalada, una vasta habitación mal amueblada, en desorden, abierta, en el fondo, a corredores oscuros donde se adivina una cocina, el comienzo de una escalera. Los postigos de las puertas-ventanas están cerrados. Se entreabren. Entran, con un poco de luz, Julia, Frédéric *y su madre, lugareños ricos, de domingo, vestidos de negro.*

Julia: Dejan siempre todo abierto. *(Grita.)* ¿Estáis ahí? *(No hay respuesta. Desaparece en los corredores sombríos, al fondo. Se la oye gritar de nuevo.)* ¿Estáis ahí? *(La madre y* Frédéric *se han quedado en escena, de pie.* La madre *mira a su alrededor. Dice con desgana.)*

La madre: Parece que no nos esperan. *(*Julia *llega a tiempo para oír estas palabras. Se nota que tiene miedo. Balbucea.)*

Julia: Sin embargo recibieron mi carta. La puse en el correo el lunes. *(Se acerca vivamente a la mesa, levanta un poco el sórdido batiburrillo que la llena.)* Son muy desordenados los tres.

La madre: Ya lo veo. *(Mira de nuevo a su alrededor, suspicaz, muy erguida, de negro, apoyada en el paraguas. Pregunta.)* ¿Puedo sentarme?

Julia *(se precipita)***:** Claro que sí, mamá... *(Se acerca a una silla y la pueba.)* No. Ésta está rota. Ésta también. El banquito es sólido; yo lo compré en el bazar antes de marcharme. Es nuevo. *(Toma el banquito.)* No. Está roto también.

La madre *(sigue de pie)***:** ¿Qué hacen con las sillas?

Julia: No sé. Se suben encima, las golpean.

La madre: ¿Por qué las golpean?

Julia *(lanza una mirada desesperada a* Frédéric; *balbucea)***:** No sé. Yo también me lo pregunto.

Frédéric *(acude en auxilio de* Julia*)***:** ¿Qué puede importarte eso, mamá?

La madre: Nada, pero quisiera sentarme. *(Julia y Frédéric miran a su alrededor.* Julia *está azorada.* Frédéric *se dirige a un sillón que desaparece bajo un montón de ropa blanca.)*

Frédéric: ¡Aquí tengo un sillón!... *(Lo prueba, lo lleva.)* Un sillón sólido. Siéntese, mamá. *(Bajo las miradas ansiosas de* Julia, La madre *se sienta después de comprobar la solidez del sillón. Mira la hora y dice con desgana:)*

La madre: Son las doce menos diez.

Julia *(enrojece más, si es posible)*: Sí. No comprendo. *(Va a buscar el paquete de ropa que Frédéric había arrojado al suelo. Da vueltas con él por la habitación, sin saber dónde disimularlo, mientras habla.)* Sin embargo saben que el tren llega a las once.

Frédéric: Tal vez fueron a buscarnos a la estación por otro camino.

Julia: No. Con la marea baja, siempre toman por la arena a través de la bahía. Nos hubiéramos cruzado con ellos.

La madre: Además, aunque su padre y su hermano hubiesen venido a buscarnos a la estación, su hermana debería haberse quedado para vigilar el almuerzo.

Julia *(que sigue dando vueltas con el lío de ropa)*: Pues claro. Debería haberse quedado. No lo comprendo.

La madre: Es cierto que quizá no había almuerzo que vigilar. ¿Estuvo en la cocina?

Julia: Sí, mamá. No hay nada. *(Por fin ha conseguido meter la ropa en un aparador. Se pega a las puertas sofocada como una criminal. La madre no ha visto nada.)*

Frédéric *(a quien el miedo de* Julia *hace sonreír, para arreglar las cosas)*: Quizá tenían intención de llevarnos al restaurante.

Julia *(todavía más desdichada)*: No hay restaurante en el pueblo, sólo hay un almacén y despacho de bebidas.

La madre: ¿De modo que nos veremos obligados a cruzar la bahía en sentido inverso? *(Una pausa. Comprueba.)* Son las doce menos cinco.

Julia *(tartajea)*: Es decir... Ahora que la marea sube, sería peligroso... Habría que ir por el camino y es más largo.

La madre: ¿Mucho más largo?

Julia *(después de una vacilación)*: Sí. Cerca del doble. *(La Madre no responde nada a este último golpe. Un terrible silencio. Pasea la mirada a su alrededor. Julia comienza a ordenar las cosas subrepticiamente, a sus espaldas; luego, como La Madre mira el piso y con el paraguas toca algunas desperdicios, Julia rompe a llorar y se precipita sobre una escoba, después de arrancarse el sombrero y tirarlo a cualquier parte.)*

Julia: ¡Oh, prefiero barrer!

La madre: En efecto. Hace falta.

Frédéric *(se compadece de* Julia. *Se acerca a su madre)*: Voy a ayudarte, Julia. Y tú, mamá, deja ese aire de juez. Vete al almacén a comprar conservas para el almuerzo.

La madre *(alzando los ojos al cielo)*: ¡Conservas, en pleno verano!

Julia *(da un paso)*: Mamá, lo siento muchísimo. No comprendo lo que pasa. No se moleste. Voy a ir yo al almacén.

La madre: No, Julia, usted es más necesaria aquí. Y además tal vez encuentre una cacerola y agua buscando bien. Voy a comprar fideos.

Frédéric: ¡Eso es! Y paté. Trae también cangrejos en lata, mantequilla y dulce. No todos merecemos estar a pan seco.

La madre *(desde el umbral)*: Y… ¿Traigo para ellos?

Julia *(sufriendo)*: Pues… no sé. No sé dónde podrían almorzar.

La madre: Habrán entendido que éramos nosotros quienes los invitábamos a un pic-nic.

Frédéric *(la empuja amablemente afuera)*: Probablemente. Anda rápido, mamá. Entretanto, pondremos la mesa. *(Cuando ha salido, Julia suelta la escoba, cae llorando sobre una silla, gime.)*

Julia: Me lo sospechaba. Me lo sospechaba. ¡Son terribles!

Frédéric: ¿Crees que recibieron la carta?

Julia: Seguramente.

Frédéric: ¿Entonces no quieren recibirnos?

Julia: Ni siquiera eso. Se fueron cada uno por su lado esta mañana, contando los unos con los otros.

Frédéric: ¿Tu hermana también? ¿Los dos hombres la ayudan en la casa habitualmente?

Julia *(con gesto afligido, en sus lágrimas, muestra el desorden que la rodea)*: Ya ves. (Frédéric *lanza una carcajada.*) ¡Oh, no te rías! No te rías. Tengo mucha vergüenza.

Frédéric: ¿Vergüenza por qué?

Julia: No te lo había dicho. Creí que podía no decírtelo. ¿Por qué quiso tu madre que viniéramos? ¡Como si hiciera falta pedir mi mano! Si no hubiésemos venido, yo hubiera podido no decirlo.

Frédéric: ¿No decir qué, Julia?

Julia: Toda la vergüenza. Todo.

Frédéric *(sonriente)*: ¿Te dan tanta vergüenza?

Julia: Desde muy pequeña.

Frédéric: ¿Y qué tienen de extraordinario?

Julia: Lo verás bastante pronto. *(Estalla de pronto con rabia.)* ¡No hicieron el almuerzo! ¡Ni siquiera han barrido! Se marcharon cada uno por su lado y volverán a cualquier hora, vestidos de cualquier manera. ¡Y tu madre aquí sin nada que comer!

Frédéric: No temas por ella. Está comprando en el almacén.

Julia: Si por lo menos yo no les hubiera avisado. Pero les puse en la carta: "Voy con mi novio y mi futura suegra, preparad un buen almuerzo". Hasta les mandé dinero.

Frédéric: Quizá tienen la costumbre de almorzar tarde.

Julia: Sólo hay en la cocina un poco de leche echada a perder y un viejo mendrugo de pan. ¡Ay, mi dinero! Ya sé a dónde fue a parar mi dinero.

Frédéric: Pobre Julia.

Julia: Les escribí con todas las letras: "Limpiad bien la casa, que no tenga yo de qué avergonzarme, a mi suegra le gusta el orden". ¡Mira!

Frédéric: Vamos a ordenar los dos, levántate.

Julia *(grita en lágrimas)*: ¡No! ¡Quiero tenderme en el suelo y llorar!

Frédéric: ¡Julia!

Julia: Quiero que me encuentren aquí al volver. Entre sus residuos de ocho días, con mi suegra y mi novio a mi alrededor. ¡Que se avergüencen una vez ellos también!

Frédéric: Levántate, Julia.

Julia: Por lo demás, ni siquiera se avergonzarán, los conozco. Les daría lo mismo. Todo les da lo mismo. *(Se incorpora.)* ¡Ya ves, quisiste conocerlos y ahora no me querrás!

Frédéric *(riéndose)*: ¡Ya está, ya no te quiero!

Julia *(se arroja en sus brazos)*: No soy como ellos, ¿sabes? Cuando era muy pequeña, yo era la que barría, la que fregaba mientras mi madre se miraba en el espejo. Yo era quien obligaba a papá a afeitarse, a ponerse cuellos limpios. Ya verás, ya verás, ¡ni siquiera se habrá afeitado!

Frédéric: No sabemos, es el quince de agosto.

Julia: A él le dan lo mismo las fiestas, los domingos. Para lo que hace los demás días. A ellos todo les da lo mismo. Comer cualquier cosa a cualquier hora, andar sucios. Papá, con tal de hacer su partida de cartas con los amigos en el despacho de bebidas, y ella, con tal de correr por los bosques o calentarse al sol en la arena todo el día. ¡Paciencia si la casa está en desorden!

Frédéric: ¿Y en invierno?

Julia: Ella fuma cigarrillos, acostada aquí en lo que llama su diván. Se hace sombreros o vestidos con trapos viejos como cuando era chica. ¡Hay que ver sus sombreros, sus vestidos!... Nunca tienen un centavo, y cuando lo tienen es para gastarlo en seguida. Los vestidos se los hace con cortinas viejas. Y cuando están terminados, una mancha o un desgarrón en seguida, y paciencia si se le ve el trasero, y las rodillas por los agujeros de las medias.

Frédéric: ¡Julia, Julia, eres mala!

Julia: ¡Detesto tanto todo esto, vas a ser tan desdichado!

Frédéric *(suavemente)*: Pero yo no me caso con tu hermana.

Julia: A veces te burlas de mí. Dices que soy una maniática, una hormiga. Recojo rápida un trocito de papel. Me froto, me froto cuando creo que tengo una manchita. Es que me parece que siempre tengo algo que ordenar. Algo que limpiar para ellos.

Frédéric: ¿Y tu hermano, qué dice?

Julia: Antes no era como ellos. Pero desde que se separó de su mujer y vive aquí, ha empezado a parecerse. Lee todo el día, encerrado en su cuarto. A él tampoco lo quiero ahora. Antes era un muchacho como los otros, trabajaba, era el primero en la escuela, quería ganar dinero. Ahora parecería que se pasó al otro lado, me mira burlón como ella. Rechaza todo. No es culpa nuestra si su mujer ya no lo quiere.

Frédéric: ¿Y tu mamá, cuando vivía?

Julia *(se pone como un tomate, dice de pronto)*: Mamá no ha muerto. Te mentí; se marchó con un dentista ambulante. Un hombre con sombrero de copa, que arrancaba muelas, con música en la plaza. *(Breve silencio.)* Ya está. Ahora te dije eso también. Detéstame.

Frédéric *(la toma en sus brazos)*: ¡Tonta, querida tontita!

Julia: ¡Nunca más, nunca más te miraré a la cara!

Frédéric: Qué cómodo va a ser durante los cincuenta años que nos quedan por vivir. ¡Porque todavía tenemos para cincuenta años, con un poco de suerte!

Julia: ¡Oh, Frédéric! ¿Te parece que me querrás a pesar de ellos? ¿Crees que no sería mejor marcharse en seguida? Tengo tanto miedo.

Frédéric *(la sujeta junto a sí)*: ¿Miedo de qué? Estoy aquí.

Julia: No sé. Miedo de que estés aquí, justamente. Tú eres tan claro. Estás tan lejos de ellos. Eres tan puro. ¿Y si llegas a creer que me parezco a ellos?

Frédéric *(la estrecha un poco más)*: La conozco a mi hormiga.

Julia: Se va a morir de vergüenza.

Frédéric: No. Nadie se muere de vergüenza.

Julia: Dices eso y dices también que nadie se muere de amor. ¿De qué se muere, entonces?

Frédéric: Yo también me lo pregunto. *(La besa. Lucien aparece en el umbral, bajando del primer piso, con el cuello desabrochado, un libro en la mano. Los mira besarse sin decir una palabra. De pronto Julia lo ve y se separa de Frédéric.)*

Julia: ¿Cómo? ¿Estabas aquí?

Lucien: Siempre estoy aquí cuando se besan, es lo peor que podía suceder. Desde que soy cornudo, no puedo dar un paso sin encontrar el amor... ¡Y me dan horror las gentes que se besan, naturalmente! Y las veo por todas partes. Pero seguid. No os incomodéis por mí. Miento. En el fondo, es un placer para mí. Un placer sombrío. Me digo: "¡Vaya! ¡Otros dos que no tienen para mucho tiempo!"

Julia: ¿Así es como saludas? ¿Te traigo a mi novio, no lo conoces y así es como lo saludas?

Lucien *(glacial)*: Buenos días, señor.

Frédéric *(le tiende la mano)*: Buenos días.

Lucien *(comprueba)*: Es cortés. Tiende la mano. Una sonrisita de circunstancias.

Frédéric: Estoy acostumbrado. En el regimiento conocí a un tipo por el estilo.

Lucien: ¿Un cornudo?

Frédéric: No. Un amargado.

Lucien: ¿Y a fuerza de sonrisas y de apretones de manos francos, endulzó por fin a aquel amargado?

Frédéric: No. Pero me habitué. Y nos hemos convertido en los mejores amigos del mundo.

Julia: ¿Me oíste llamar hace un rato?

Lucien: Sí.

Julia: ¿Y naturalmente, no te moviste?

Lucien: ¡Error! Me moví cuando no oí nada más, esperando que os hubierais marchado, desalentados. Me moví también porque tenía hambre. ¿Crees que almorzaremos?

Julia: ¡Almorzar! Sí. Hablemos del almuerzo. ¿Dónde están los otros?

Lucien *(hace un gesto)*: Nunca se sabe dónde están los otros... Apenas se sabe dónde está uno mismo, aquí abajo. ¿No es cierto, estimado señor, usted que parece haber recibido instrucción, como dicen? Usted me gusta mucho. ¡Franco, leal, honrado, límpido, siempre adelante, taratatá, taratatá, un verdadero soldado! ¡Será un excelente cornudo!

Julia *(grita)*: ¡Lucien!

Lucien: Un cornudo alegre. Los mejores. Yo soy un cornudo triste.

Julia *(se le acerca, lo sacude)*: ¡Lucien! Te crees gracioso y eres detestable. Te crees original y eres vulgar, lo más vulgar del mundo. Un pillo cualquiera, el más flojo que he conocido.

Lucien: Yo no soy un pillo sino un cornudo doliente.

Julia *(lo toma del brazo)*: ¡Bueno, pues doliente o no, te aseguro que te vas a callar!

Lucien: ¿Ahora uno no tiene derecho a ser desgraciado? ¿La felicidad es obligatoria? ¡Es gracioso!

Julia: Te olvidas que fui yo quien te sonó la nariz, quien té lavó los pies sucios y te dio la sopa cuando eras así de grande. Te conozco. Eres un mocoso, pero no tan malo como quieres parecerlo. Así que escúchame. No porque hayas sufrido, no porque Denise te haya abandonado y seas infeliz, debes tratar de impedirme que yo sea feliz. Vine aquí con mi novio y su madre, para deciros que me iba a casar. Frédéric vale más que tú y que yo y lo comprende todo. Pero está su mamá, que seguramente no podrá comprenderte. Aunque se le explique que realmente sufres. Es de una raza que sufre con más discreción. De modo que trata de estar limpio dentro de un rato, peinado y comportarte de un modo conveniente. *(Dice de pronto, lastimera.)* ¡Te lo ruego, Lucien! ¡Te ruego que no eches a perder mi felicidad!

Lucien *(despacito)*: Cuando me piden algo amablemente, no sé negarlo. Voy a ponerme el frac. *(Desde el umbral dice amablemente a* Frédéric.*)* Tiene usted suerte. Esta muchacha es buena. Fastidiosa, pero buena. *(Sale.)*

Frédéric: ¡Pobre! Debe de haber sufrido mucho.

Julia: ¡Es odioso!

Frédéric: Es amable.

Julia: ¡Ah, tú, el toro! Siempre eres más fuerte que todo el mundo. Todo te da risa, lo disculpas todo. Yo hubiera preferido tener un hermano bien educado. *(Entran* La madre *de* Frédéric *y* El padre *con los brazos cargados de latas de conservas.* El padre *hace un gesto teatral.)*

El padre: ¡Efecto teatral!... Nos encontramos en el almacén. Yo estaba vaciando un cuartillo con Prosper. Prosper me dice: "Mira quién entra". Yo veo el vestido de seda, el paraguas; tengo un pensamiento. Me levanto: "Suegra, encantado de serle presentado". Es una manera de decir, yo me presentaba a mí mismo. Todo el bar abría los ojos como platos. *(A Julia.)* Tuve que dejarle pagar las conservas, no llevaba un centavo encima. Tendrás la amabilidad de devolvérselo, hijita. ¡Sí, sí, invito yo! Estimado señor, encantado.

Julia: Papá es muy charlatán.

La madre *(que deja las latas)*: Ya lo he visto.

El padre: ¡Pero cómo! ¿La mesa no está puesta? ¿No hay vino a refrescar? ¿No hay nada listo? ¿Cómo es eso?

Julia: Iba a preguntártelo, papá.

El padre: ¿A preguntármelo? ¿A preguntármelo a mí? *(Grita, terrible.)* ¿Dónde está Jeannette?

Julia: Yo también iba a preguntártelo.

El padre: ¡Es horrible! *(Se vuelve hacia* La Madre, *a quien con un gesto circular invita a sentarse en el canapé; con otra voz.)* No quiero ser indiscreto, ¿pero cuántos hijos tiene usted, estimada señora?

La madre: Once, pero ocho vivos.

El padre *(hace un gesto)*: ¡Ocho vivos! No hablemos de los otros. Le quedan siete de repuesto. Podrá arreglarse. Yo, que sólo tengo tres, nunca encuentro uno al alcance de la mano. *(Grita, terrible.)* ¿Dónde está Lucien?

Julia: En su cuarto.

El padre: Ya lo ve. Y aquí me veo obligado a detenerme. Me faltan elementos. No hay más. No puedo llamar a nadie más. Usted puede seguir, es su fuerza. Yo estoy solo. ¡Es triste para un anciano! Afortunadamente tengo a ésta. Es el báculo de mi vejez. Aunque ahora, si se casa con su hijo, será suya. Va a ser una novedad para usted. ¡Báculos nuevos! ¿Entonces tú te ocupas de todo? ¿Nos harás un buen almuerzo, hijita?

Julia *(severa)*: ¿Tienes vino?

El padre *(modesto)*: ¡Hum!... Te diré... Hay con qué refrescarlo. No sé dónde tenía la cabeza... Además, venía con las manos ocupadas...

Frédéric *(riendo)*: No se preocupe, voy a buscar. Valor, Julia. *(Sale.)*

El padre *(mirándolo salir)*: ¡Es encantador el muchacho, mis felicitaciones! *(Se instala en el diván.)* ¿Así que estás contenta, hijita, de volver a ver a tu viejo papá?

Julia *(que se lleva las conservas a la cocina)*: Sobre todo estaría contenta de encontrar la mesa puesta y la casa limpia.

El padre *(guiña el ojo a* La Madre*)*: Lo dice, pero no hay que hacerle caso, no crea una palabra de lo que dice. Está encantada. Es un corazón de oro. *(Recoge algo del suelo y lo empuja debajo del canapé.)* Además, no está tan sucia esta casa. ¡Algunos papeles! Del polvo no hablemos, no hay nada que hacer, es cosa de todos los días. Se pasa un trapo viejo... Lo que le parece desorden, hablando con propiedad no es desorden. Es naturalidad. Yo soy un viejo artista. Necesito cierta naturalidad a mi alrededor.

La madre *(se levanta)*: Voy a poner la mesa.

El padre: ¡Es una buena idea! Voy a ayudarla. Me rejuveneceré. Cuando tenía veinte años, la ponía siempre para fastidiar a la criada.

La madre: ¿Dónde están los platos?

El padre: No sé. Repartidos por todas partes.

La madre: ¿Cómo, no lo sabe? ¿Qué hace cuando quiere comer?

El padre: ¡Los busco! Mire, aquí tiene tres. ¡Pero están sucios! Bah, no es gran cosa, queso. Quitando las cortezas... *(*La Madre *le arranca los platos de las manos y se dirige a la cocina gritando.)*

La madre: ¡Búsqueme otros!

El padre: Haré lo posible, señora. *(Sólo busca un instante, se desalienta en seguida y se tiende en el canapé; saca un cigarro del bolsillo, muerde la punta, gruñendo.)* ¡Búsqueme otros... búsqueme otros! Nada cómoda, un verdadero dragón. ¡Qué lástima! Una mujer tan linda... *(La Madre vuelve y lo encuentra allí. Trata de fulminarlo con la mirada, pero él se resiste, estoico. Sigue fumando plácidamente, mientras ella empuña una escoba y comienza a barrer alrededor de él.)*

El padre *(después de un momento)*: ¿Sabe? Yo soy un optimista. Tengo por principio que todo se arregla siempre.

La madre *(agria)*: Sí. ¡Cuando los otros se encargan!

El padre: En realidad, sí. Pero he observado que los otros se encargan de buena gana. Es extraordinaria la cantidad de gente que puede haber en el planeta decidida a proceder cueste lo que cueste. Si no hubiera algunos filósofos como nosotros que se quedan tranquilos, andaríamos a tropezones. Sería demasiado pequeño el espacio.

La madre *(se detiene de pronto)*: Tengo cuatro granjas allá, sin contar la casa de la ciudad, y el chico se ha graduado de notario, tendrá su estudio un día. Se pregunta usted quizá por qué se lo doy a Julia que no tiene nada.

El padre: ¿Yo? Yo no me pregunto nada. Estoy encantado.

La madre: Julia es una buena muchacha, trabajadora, honrada, económica.

El padre: Mi retrato.

La madre: Su tía es amiga mía desde hace cincuenta años. Me dijo que le dejaría todo cuando desapareciera.

El padre: ¡Pobre Irma! ¿Cómo anda?

La madre: Anda bien. Sé que usted no tiene un centavo para darle.

El padre *(se sobresalta)*: ¿A Irma?

La madre: No. A su hija.

El padre *(categórico)*: ¡Yo, señora, apoyo los casamientos por amor! Siempre terminan mal, por lo demás, pero antes de que terminen son más divertidos que los otros. Algunos años, aunque sean algunos meses de algo bueno, siempre es algo ganado. Y yo considero que hay que ser feliz, suceda lo que suceda. ¿Usted no?

La madre: Es preciso ser trabajador, ante todo. Y serio.

El padre: ¿Y a usted no le parece seria la felicidad?

¿No le parece que es toda una tarea? ¡Diablos, señora! Yo considero que sólo las cabezas de chorlito no piensan en esto noche y día. Y que se contentan con una propina, con una bicoca, con nada. ¡Si nunca se es bastante feliz, canastos! ¿Qué me está diciendo? Hay que ser de una exigencia feroz. *(A Julia que vuelve con platos, vasos, un mantel.)* ¿No es cierto, hijita?

Julia: ¿Qué hay ahora?

El padre *(ofendido)*: ¿Por qué, "ahora"? Le decía a tu suegra que nunca se es bastante feliz. Tú tienes intención de ser feliz, espero.

Julia: Sí, papá. Y quisiera que me ayudaseis todos.

El padre: ¡Cuenta conmigo, hijita! Parezco un farsante, pero tengo un corazón sincero. Es lo que tu suegra no sabe. *(Entra Lucien, lleva un frac demasiado grande para él.)*

La madre: ¿Quién es ése?

El padre *(se inclina)*: Es mi hijo, señora.

La madre: ¿Es mozo de café?

El padre: ¿Cómo? Es licenciado en derecho. Vaya, en realidad, ¿dónde has encontrado ese frac?

Lucien *(sin reírse)*: Es el tuyo. Me lo puse para hacer los honores a la señora.

La madre *(a la defensiva)*: Es usted muy amable, señor.

Lucien *(se inclina respetuosamente)*: ¡Señora, mis respetos! *(A Julia, que lo mira, un poco inquieta.)* ¿Estoy estilo regencia con la cola de urraca de papá?

La madre *(A Julia)*: Parece cortés, éste.

Julia *(vagamente)*: Sí, parece.

Lucien: ¡Ves, yo no le obligué a decirlo!

La madre: ¿Éste es el que es casado? ¿Dónde está su mujer?

Lucien: En viaje de bodas.

Julia *(grita)*: ¡Lucien!

Lucien: No, bromeaba. Está en Lourdes. De peregrinación. Para tener un niño. *(La Madre lo mira, preguntándose si va en serio. Julia se la lleva en seguida.)*

Julia: Mamá, ¿quiere usted ayudarme? Necesitaría sus consejos en la cocina. ¡Poned la mesa los dos!

Lucien *(al padre, cuando las dos mujeres han salido)*: Le he causado una gran impresión. Es inútil decirlo, el arreglo...

El padre: ¡Bah! Es una mujer que tiene sus recursos,

pero me parece bastante limitada. De todos modos, hay que ser justo, todavía luce un lindo busto. ¡Yo tengo una debilidad por estas criaturas!

Lucien: ¡Estás divagando, tiene cien años!

El padre: ¡No tienes ninguna imaginación! Yo la veo por el 1912 con un gran sombrero de plumas... ¡Cristo! En fin, no hablemos más del asunto, es demasiado tarde.

Julia *(entra y se acerca a ellos)*: Escuchadme, los dos. Sólo tendremos quizás un minuto para estar solos. No hablemos más del almuerzo ausente, de la casa sucia.

El padre: ¡Yo fui el primero en lamentarlo! Ya lo has visto.

Julia: Le diré dos palabras a Jeannette cuando vuelva. Si vuelve. A pesar de todo, ¿habéis gastado el dinero?

El padre *(hace un gesto trágico)*: Hubo que pagar al lechero. ¡Esta casa es un abismo! Una vez pagado el lechero, quedaban trece francos. Quise comprarme una corbata de lazo hecho para estar correcto hoy... No tenía nada más que ponerme. Digo quise, porque ya se rompió. No valen nada esos cachivaches. Háblenme de la corbata *Montevideo* que usaba antes de la guerra. Un simple resorte y uno estaba bien. ¡En fin!... Remendé una vieja con piolín. ¿No se ve demasiado?

Julia: No. ¡Pero hubieras podido cambiarte el cuello!

El padre: ¿El cuello? Es de celuloide. ¡Andas mal! ¡Es patentado! No se cambia nunca.

Julia: Sí, pero se lava. Y la caspa se cepilla, y las uñas se limpian, y el primer botón no se abrocha en el segundo ojal.

El padre: ¡Bah, bah, bah! Te fijas en los detalles. Hay que ver el conjunto.

Julia: Naturalmente, no te has afeitado esta mañana.

El padre *(ingenuo)*: No. ¿Pero en qué lo notas?

Julia *(que termina de abrocharlo)*: No te pases todo el almuerzo quejándote de que no tienes un centavo.

El padre: ¿Por quién me tomas? He tenido reveses de fortuna, pero soy buen jugador. Al contrario, quiero aplastar con el lujo a esa mujer. Saca toda la platería, hijita.

Lucien *(en su rincón)*: Está empeñada desde 1913.

El padre *(lo enfrenta, soberbio)*: ¡Puedo desempeñarla cuando quiera! Tengo todos los recibos.

Lucien: Quizá podríamos ponerlos en la mesa.

El padre: En todo caso, aunque momentáneamente debemos renunciar al lujo, mucha dignidad, mucha nobleza. Simplicidad patriarcal. La recibimos en la vieja casa familiar que las desgracias no han esquivado, pero que siempre está ahí, bien sólida sobre sus viejos cimientos...

Lucien: A propósito. Llueve en todos los cuartos y el plomero quiere un adelanto para comenzar las reparaciones. ¿Tú no puedes hacer nada por nosotros?

Julia: ¡Siempre yo! ¡Siempre yo! Me repugnáis.

El padre: ¿Nosotros tenemos la culpa si el techo se estropea? El plomero es el que debería repugnarte. ¡Un adelanto! Un chico a quien conocí cuando era así.

Lucien: Justamente. Te conoce.

El padre *(truena)***:** ¡No me conoce todavía! ¡Iré a un competidor!

Lucien: No hay.

El padre: ¡Pamplinas! Me dirigiré a París. ¡No conviene exasperarme! *(Enciende otro cigarrillo, se tiende en el diván súbitamente calmado.)* ¿Y ese almuerzo, va marchando?

Julia: Os mandé todo lo que pude. Ahora tengo que pensar en mi casamiento, en mi ajuar.

El padre: Tienes razón. Haz las cosas con largueza. No quiero que se diga que no te hemos dado nada. ¿Te ganas bien la vida en la enseñanza? ¿Das lecciones particulares? Encontré al inspector de la Academia en un entierro; me dijo que estabas muy bien calificada.

Julia: Haré lo mejor que pueda, créelo. Pero quería deciros que ahora que me caso no debéis contar más conmigo.

El padre: ¡Cae de su peso! Créeme que en otros tiempos te hubiera dado una dote principesca.

Julia *(a Lucien)***:** ¿Tú qué has decidido?

Lucien: Espero una respuesta de la Costa de Marfil.

Julia: ¿Y si la Costa de Marfil no te responde nunca? Me parece que con tus diplomas podrías encontrar trabajo en otra parte que no fuera África.

Lucien *(burlón)***:** ¿Trabajar aquí, bajo este cielo de cornudos, en una oficina de cornudos que todo el día me hablarán del amor? Jamás. En plena selva con negros bien estúpidos, retintos, negros con cabezas como piedras sin ninguna idea, realmente ninguna idea sobre el amor. ¡Y ni un blanco, a cuatrocientos kilómetros, lo he exigido! Si me contestan, sí, en seguida, sin despedirme siquiera. Tengo un bolsito listo en el perchero para no perder un minuto. ¡En cuanto llegue la carta, tomo el sombrero, el equipaje y adiós! Y no os toméis mucho trabajo con la correspondencia. No la abriré siquiera.

El padre *(clama)***:** ¡Los hijos son todos unos ingratos! *(Añade.)* Además, yo nunca escribo.

Julia: Lo que yo mandaba no podía bastar. ¿Con qué habéis vivido este invierno?

Lucien: Con conservas.

Julia: Contestad, ¿con qué habéis vivido?

El padre *(fastidiado)*: ¡Pues no sé! Jeannette se ha arreglado.

Julia: ¿Trabaja? ¿Qué hace?

El padre *(hace un gesto vago)*: Tú sabes cómo es ella, no se la ve nunca.

Julia: Debéis saber por experiencia que el dinero no crece en esa arena. ¿Iba a la ciudad? ¿Encontró un empleo?

El padre: No, no. Se quedó aquí.

Julia: En fin, no comprendo. ¿Os entregó mucho?

El padre (hace otro gesto): Oh, ya sabes que yo para el dinero...

Julia: Lucien, tú sabes algo. ¡Habla!

Lucien: Es muy sencillo. Tengo la convicción, querida, de que hemos vivido todos este invierno de las generosidades del señor Azarias.

Julia: ¿El Azarias del pequeño castillo?

Lucien: Sí. La tierna criatura se larga al caer la noche y no vuelve hasta el alba. Y tengo la impresión de que toma ese camino a través de los bosques. ¡Son todas iguales! ¡Todas iguales! Estoy encantado.

Julia (*estalla*): ¡Ah, qué vergüenza! ¡Qué vergüenza!... ¿Y no habéis dicho nada? ¿Ni siquiera pudisteis escribirme para que intentara algo? No faltaba más que eso ahora. ¡En vísperas de mi casamiento! ¡Y todo el mundo lo sabrá!

Lucien (*burlón*): No emplees el futuro. Todo el mundo lo sabe.

Julia: ¿Y eso es todo lo que se te ocurre decir? ¿Tu hermana tiene un amante, un amante que le paga, va a verlo todas las noches y te ríes y estás encantado porque todo el mundo lo sabe?

El padre (*que fuma en el diván, con un gesto muy noble*): Perdonadme. ¡Yo no lo sé! (*En ese momento Frédéric entra con las botellas. Julia se le acerca gritando, como pidiendo el auxilio.*)

Julia: ¡Frédéric! ¡Frédéric!

Frédéric: ¿Qué pasa?

Julia: Vayámonos en seguida.

Frédéric: ¿Por qué?

Julia: Llama a tu madre que está en la cocina, dile que estás enfermo, dile que debemos volver, dile cualquier cosa pero vayámonos.

Frédéric *(a los otros)*: ¿Han peleado?

Lucien: ¿Nosotros? De ningún modo.

El padre: Deje. ¡Esta niña es un manojo de nervios!

Julia *(ocultando en él su cara)*: Frédéric, tú eres fuerte. Vas por la vida como un toro, riéndote, encontrándolo todo bien, todo fácil. Frédéric, tú eres claro, no sabes nada. Desde pequeño tienes a tu mamá que refunfuña y limpia en su casa aseada. No puedes saber... Yo seré como ella, Frédéric, yo seré como ella, te lo juro. Te daré una felicidad igual a tu felicidad de chiquillo. Y encontrarás siempre, al volver, todos los objetos, todos los sentimientos en su lugar.

Frédéric *(la mima)*: Sí, Julia.

Julia: Y cuando tengamos un hijo, tendrá una verdadera mamá como tú, una mamá de delantal, con pan y manteca y bofetadas, con historias y días iguales, como el tic tac del reloj... Y no hay nada más, lo sé, que desorden, malas palabras y noches frías en casas vacías, y vergüenza.

Frédéric *(dulcemente)*: ¡Sí, Julia!

El padre: ¡Qué niños encantadores!... Ah, el amor, el amor... Yo era igual, inquieto, nervioso, suspicaz, irritable... Nunca me creía bastante querido... ¡Y sin embargo, Dios sabe! *(Hace un gesto. Grita a* Julia.*)* ¡Te adora, pequeña, te adora! No llores, salta a la vista.

Julia *(pegada a* Frédéric, *más cerca todavía)*: Vámonos, Frédéric, tengo miedo.

Frédéric *(sonríe)*: ¿Miedo de qué? Estás con el toro. No debes tener miedo de nada. Vamos, sécate los ojos, sé razonable, sonríe.

Julia *(trata de sonreír)*: No puedo, tengo demasiado miedo. *(Entra* La madre. *Sigue con sombrero; se ha puesto un delantal encima del vestido de seda, trae un pollo que está desplumando.)*

La madre: ¡Julia! A pesar de todo quizá consigamos preparar un almuerzo conveniente. Encontré un pollo en el jardín, lo degollé. *(Un instante de estupor en* El padre *y en* Lucien. Lucien *chilla de pronto, incorporándose.)*

Lucien: ¡León! ¡Ha matado a León!

La madre *(mira el pollo)*: ¿León? ¿Quién es León?

El padre *(se incorpora también, espantado)*: ¡Recontracórcholis! Ahora sí que tendremos toda una historia...

Lucien *(grita como un loco)*: ¡León asesinado! ¡León occiso por la familia política! ¡El momento es prodigioso! ¡El minuto es único!

La madre: ¡Pero vamos, un pollo es un pollo! Mañana les mandaré una yunta, y más gordos.

Lucien: ¡Dice que un pollo es un pollo! ¡Dice que León no es más que un pollo!... ¡No se da cuenta de lo que acaba de hacer!

Julia: Te aseguro, Lucien, que tus bromas no hacen reír a nadie.

Lucien: ¡No se trata de reír! ¡Nadie tiene ganas de reírse, aquí! Mira a papá.

El padre *(que parece haber perdido la suya)*: ¡Sangre fría! Mucha sangre fría. ¿No es posible reanimarlo, hacerle respiración artificial?

Lucien: ¡Demasiado tarde, se está desangrando! ¡Veo correr la sangre de León! León perece entre manos indignas. Y nosotros aquí, como el coro antiguo, impotentes, lívidos, mudos...

La madre: ¡Hagan callar al loco, no se entiende nada!

Lucien *(clama de pie en el canapé, siempre de frac)*: ¡Demasiado tarde, señora, demasiado tarde! Las nubes se acumulan sobre nosotros. Escuche. Oigo rechinar la verja, las agujas de pino gimen bajo los pasos. ¡El destino reventará dentro de un minuto sobre esta casa! ¡Reventará, hijos míos, os digo que algo me lo avisa, ciertamente reventará! *(Jeannette aparece en el fondo; se detiene al ver en seguida el pollo en las manos de la suegra. Todo el mundo la mira y ella sólo mira al pollo. Se oye a* Lucien *que murmura en el silencio.)*

Lucien: Ya está. Revienta... *(Jeannette mira a la suegra, de pronto se pone en marcha hacia ella. El padre lanza un grito con voz estrangulada.)*

El padre: ¡Nenita, sé cortés! *(Jeannette arranca el pollo de manos de* La madre. *Lo sujeta contra sí, con los dientes apretados, terrible. Dice, como en un sueño, con una voz que apenas se oye.)*

Jeannette: ¿Quién es ésa? ¿Qué hace aquí con su delantal en la barriga, con sus manos llenas de sangre?

El padre: Voy a explicarte todo, nenita; es un terrible malentendido.

Jeannette: ¿Quién es ésa, toda de negro, con su frente baja, sus grandes ojos, su aire correcto? ¿Quién la ha traído aquí con ese sombrero de viuda, esos pendientes, esas alianzas en sus manos de estranguladora?

Julia *(se adelanta)*: ¡Jeannette, te lo prohibo! Es la madre de mi novio.

Jeannette *(sin dejar de mirar a* La Madre*)*: Ah, ¿es la madre de tu novio? Ah, ¿me lo prohibes? ¿Le prohibiste que tocara mi gallo hace un instante?

Julia *(grita)*: No había nada para comer: ¿quién tiene la culpa?

Jeannette *(le grita sin mirarla)*: ¡Había latas de arvejas, había sardinas en el almacén! Yo le dije a papá que comprara.

El padre *(finge asombro)*: ¿A mí? Me lo dijiste a mí? ¿Con qué dinero?

Jeannette *(continua sin oírlo)*: Sólo que tu suegra tenía que comer bien para hacer honor a la familia, ¿no? Tenía que estar atontada a la hora del café, y eructar cortésmente en su corset. Eso es la hospitalidad. Entonces lo corrió con el cuchillo y vosotros la habéis dejado. *(Se vuelve hacia* El padre *como una furia.)* ¡Tú la has dejado!... Eres tan cobarde. Ya te veo haciendo reverencias: "¡Pues cómo no, señora, cómo no!" ¡Y él te conocía, iba a encaramarse en tu hombro, a comer en tu mano!

El padre: Yo estaba allí, en el diván. No oía nada. Fumaba...

Jeannette *(que estrecha el pollo contra sí)*: Ojalá reventéis todos como ha reventado él, acribillados una noche en la cama. ¡Ojalá tengáis miedo como él lo tuvo!

Julia: Jeannette, basta de tonterías. ¡Calla ya!

El padre *(a* La Madre*)*: Discúlpela. Es una niña. Tiene un fondo excelente. Es cuestión de conocerla.

La madre: ¿De conocerla? Gracias. ¡Ya lo hice! *(Se quita el delantal.)* Julita, termino por creer que usted tenía razón. Hubiéramos podido dispensarnos de venir a ver a su familia. Frédéric, ven. Nos vamos. *(Se dirige a la cocina. El padre corre tras ella gritando.)*

El padre: ¿Y el almuerzo? Calma, señora, calma. ¡Por fin íbamos a sentarnos a la mesa!

La madre *(Saliendo)*: ¡Gracias! Comeremos al volver. En casa se pueden matar los pollos. *(*El padre *la ve salir con un gesto de desesperación.)*

Julia *(a* Jeannette *antes de seguirla)*: Te detesto.

El padre *(a* Jeannette, *fuera de sí)*: ¡Un pollo! ¡Después de todo no era más que un pollo como los otros, maldita loca! Que lo hayas llamado León no es un motivo. ¡Era encantador, de acuerdo, era encantador, pero todos somos encantadores, y eso no nos impedirá reventar un día! *(Sale también. Sólo quedan* Jeannette *que sigue sujetando al pollo contra sí, inmóvil,* Lucien *siempre de pie en el canapé y* Frédéric *que no ha dejado de mirar a* Jeannette *desde su entrada. Un silencio después de todo el ruido.* Frédéric, *dice de pronto despacito, sin moverse.)*

Frédéric: Le pido perdón. *(*Jeannette *lo mira; el son-*

ríe un poco.) Pero su padre tiene razón, todos somos mortales. Tal vez hubiera muerto aplastado.

Jeannette: Aplastado no es lo mismo. Estoy segura de que sintió miedo, estoy segura de que vio el cuchillo y comprendió. Era tan inteligente.

Frédéric *(sin reírse)*: Quizá no tuvo tiempo de comprender exactamente lo que ella quería.

Jeannette *(sombría)*: Sí. Estoy segura de que se vio morir. Como si fuera culpa suya que el almuerzo no estuviera listo. No pensaba más que en correr por el pasto buscando gusanitos, tranquilamente, temiendo al viento que hace mover las sombras. ¡Ah, cómo piensan en sus barrigas, en sus cochinas barrigas! *(Mira a Frédéric; retrocede un poco.)* ¿Pero quién es usted? A usted tampoco lo conozco.

Frédéric: Soy el novio de Julia.

Jeannette *(lo mira, desconfiada)*: ¡Ah! ¿Entonces usted es el hijo de la otra?

Frédéric *(sonríe)*: Sí. Pero no sea injusta, yo no tengo la culpa.

Jeannette *(que mira el pollo, acongojada)*: Pobre León. Le hubiera gustado tanto convertirse en un gran gallo temible. Un verdadero gallo, con una verdadera cresta roja, que despierta a todo el mundo por la mañana.

Frédéric *(suavemente)*: ¿Usted no come nunca pollo?

Jeannette *(baja la cabeza)*: Sí. Pollos que no conozco. Pero sé que también es injusto. He tratado de no comer más carne. No he podido. Tengo demasiadas ganas.

Frédéric: Entonces usted tampoco tiene la culpa.

Jeannette *(sacude la cabeza, sombría)*: Sí. Cuando sea vieja, cuando comprenda todo, como los demás, sé que también diré que nadie tiene la culpa. Debe de ser bueno admitirlo todo de pronto, disculparlo todo, no rebelarse nunca más. ¿No le parece que tarda hacerse viejo?

Frédéric *(sonríe)*: Basta con tener un poco de paciencia...

Jeannette: No me gusta la paciencia. No me gusta resignarme ni aceptar. Mi hermana le habrá dicho cosas sobre mí.

Frédéric *(sonríe)*: Sí. Muchas.

Jeannette: ¡Bueno, pues todo es cierto! Y soy todavía peor. Y tengo toda la culpa. Soy la vergüenza de la familia, se lo habrán explicado, la que hace todo lo que no se debe. ¡Es preciso detestarme!

Frédéric *(sonríe)*: Lo sé.

Jeannette: Y además no tiene por qué sonreírme como a una niña y creer que necesito indulgencia. Tampoco me gusta la sensiblería ni los lloriqueos. Tiene usted razón. Como los otros pollos, ¿por qué no he de comer éste ahora que ha muerto? ¿Porque lo quería? Es demasiado tonto. Voy a devolvérselo a la bruja. *(Se va a la cocina, gritando.)* ¡Tomen, aquí tienen el pollo, mujeres!... ¡Desplúmenlo en la cocina y cocínenlo si quieren! *(Ha desaparecido. Frédéric se vuelve hacia* Lucien *que no se ha movido, siguiendo toda la escena con su sonrisa ambigua, y le dice con voz que quiere ser divertida y que no lo es.)*

Frédéric: ¡Es asombrosa! *(Lucien lo mira un segundo sin decir nada; luego se deja caer, bajando del canapé con una sonrisa.)*

Lucien: Sí. No ha terminado de asombrarlo. *(Frédéric, sorprendido por su tono, lo mira.)*

TELÓN

Acto II

El mismo decorado, pero la casa está en orden. Es el crepúsculo, después de la cena. La habitación ya está llena de sombra. Al fondo, en la cocina iluminada, se ve a La Madre *y a* Julia *afanadas en sus tareas. En escena,* El padre *que duerme en un sillón, con el cigarro apagado en la mano.* Frédéric *y* Jeannette, *sentados lejos uno del otro de cada lado de la mesa despejada a medias, se miran. Más lejos, pegado a la puerta-ventana, una sombra:* Lucien *que contempla la noche.*

El padre *empieza de pronto a roncar ruidosamente; luego se detiene, pues* Lucien *rompe a silbar con rabia un toque de diana.* Frédéric *y* Jeannette *desvían la mirada hacia* El padre, *vuelven a mirarse y se sonríen por primera vez. Un reloj da la media en alguna parte.* Frédéric *pregunta.*

Frédéric: ¿El tren es a las diez y media?

Jeannette: Sí. *(Un silencio.)*

Frédéric: Qué rápido ha pasado este día.

Jeannette: Sí.

Frédéric: ¿Cuándo volveremos a vernos ahora?

Jeannette: El día de la boda. *(Un silencio. Lucien se mueve de pronto y se hunde en la noche. Se le oye silbar el toque de silencio mientras se aleja.)*

Frédéric: Parece un atardecer de dentro de mucho tiempo, cuando vengamos a pasar aquí unos días con Julia. Será igual... Su papá se dormirá en el sillón dejando apagar el cigarro. Julia estará atareada en la cocina. Nos olvidaremos de encender la lámpara como esta noche, y escucharemos la llegada de la noche.

Jeannette: Nunca volverá aquí, usted lo sabe.

Frédéric: ¿Por qué?

Jeannette: Julia no querrá volver jamás.

Frédéric *(después de un silencio)***:** Entonces es un atardecer de hace mucho tiempo. Un antiguo atardecer que no quiere dejar de vivir. Debemos de ser muy viejos en este momento, gastados, rotos, separados desde hace años y años, y estamos recordando este crepúsculo tranquilo en que nadie pensaba encender la lámpara y nos quedamos esperando, sin saber qué.

Jeannette *(se incorpora, grita)***:** ¡Yo no me acordaré! Detesto los recuerdos. Son algo demasiado cobarde, demasiado inútil.

El padre *(despierta sobresaltado y quiere fingir que no dormía)***:** ¿Qué decías, nenita? No entendí muy bien.

Jeannette: Nada, papá. No decía nada. Duerme.

El padre *(volviendo a dormirse)*: No duermo. Lo oigo todo.

Jeannette *(detrás de él, en voz demasiado baja para que se despierte, con la mirada perdida no sabe dónde)*: Entonces, papá, escucha, si lo oyes todo. Escucha con tus oídos, escucha lo que va a decirte tu hija. Tu mala hija. No la otra. La otra nunca dice cosas vergonzosas, cosas que queman al pasar. Siempre hace todo bien tu otra hija, y le será tenido en cuenta. Será feliz. No necesitará del recuerdo de una noche para más adelante, tendrá derecho a todas las noches, a todos los días, a todos los minutos, a toda la vida. Y cuando se muera no terminará, tendrá derecho al recuerdo de toda su vida todavía, para vivir eternamente sentada del buen lado de su buen Dios.

Frédéric *(se levanta nervioso)*: ¡Cállese!

Jeannette *(grita primero)*: ¡No, no me callaré! *(Luego se turba y dice despacito.)* ¿Por qué quiere que le obedezca? ¿Quién es usted para mí? *(En ese momento un viejo, vestido con una esclavina oscura, aparece en el umbral con un telegrama en la mano. Grita.)*

El cartero: ¡Niños! ¡Niños!

El padre *(volviéndose en su sueño)*: ¡El correo, niños, el correo! ¡Es el cartero!

Lucien *(surge de la noche, se precipita hacia el hombre)*: ¿Eres tú, cartero? ¿Es para mí?

El cartero: No, chiquillo. Es para tu hermana. Un telegrama, servicio nocturno.

Lucien: ¿Cuándo será para mí, cartero?

El cartero: Cuando la reciba, chiquillo. *(Desaparece en la noche. Se oye la campanilla un instante; luego* Lucien *se acerca y tiende el telegrama a* Jeannette.*)*

Lucien: Toma, servicio nocturno, querida. ¿Así que hay cosas urgentes que decirte? *(Una pausa; aguarda.* Jeannette *toma el telegrama sin abrirlo.)* ¿No lo abres?

Jeannette: No. Ya sé lo que dice.

Lucien *(fingiendo curiosidad)*: ¡Tienes suerte! Yo en tu lugar quisiera saberlo… *(Se va silbando una generala, después de vaciar un vaso de vino que hay sobre la mesa.)*

Frédéric *(pregunta de pronto sordamente)*: ¿Qué dice ese telegrama?

Jeannette: Nada.

Frédéric: ¿Por qué no lo abre?

Jeannette *(lo rompe sin leerlo)*: Sé de antemano todo lo que dice.

Frédéric: Por lo demás tiene razón. ¿Acaso es cosa mía? La conozco desde esta mañana y me marcharé dentro de una hora.

Jeannette: Y se casa con mi hermana el mes próximo.

Frédéric: Sí. *(Se miran.)*

Jeannette *(después de una pausa, de pronto)*: Es un telegrama de mi amante.

Frédéric: ¿El hombre que nos siguió esta tarde en el bosque?

Jeannette: ¿Usted lo vio? No, ése no, pobre. Ése no se atreve a escribirme. Además quizá no sabe escribir. Es otro que cree tener derecho. Otro a quien voy a ver a su casa todas las noches.

Frédéric: ¿Y le escribe porque no lo verá esta noche?

Jeannette: Ni esta noche ni nunca más. Le mandé un mensaje esta mañana para decirle que no volveré a verlo. *(Una pausa. Frédéric pregunta con esfuerzo.)*

Frédéric: ¿Por qué lo deja?

Jeannette: Porque no lo quiero. Porque de pronto me dio vergüenza ser suya.

Frédéric: ¿Y ayer?

Jeannette: Ayer me daba lo mismo. Todo me daba lo mismo ayer: tener un amante como él, andar con las piernas desnudas y un vestido roto, ser fea.

Frédéric *(sordamente)*: Usted no es fea.

Jeannette: Sí, Julia es más linda que yo. Julia es pura y yo sé lo que valgo. El que nos siguió fue también mi amante y yo no lo quería. Y antes hubo otros, desde que tengo quince años, y tampoco los quise.

Frédéric: ¿Por qué se ensucia de propósito?

Jeannette: Para que usted me odie, para que se vaya esta noche odiándome, para que se case con Julia odiándome.

Frédéric: Usted sabe que no podré.

Jeannette *(suavemente)*: Y también para que nunca más pueda olvidar este momento en que le hablé de mi vergüenza en la oscuridad.

Frédéric *(después de una pausa)*: Está mal decir todo así, de propósito.

Jeannette: No tengo más que una noche, ni siquiera una noche, no tengo más que una hora, ni siquiera una hora ya, y después todo el tiempo para callarme.

Frédéric: ¿Por qué habla de ese modo si no podemos hacer nada?

Jeannette: Nada mañana, no, nada en toda nuestra vida; pero todavía podemos algo durante esta hora, si nos la dejan. Es larga una hora cuando es lo único que se tiene.

Frédéric: ¿Qué podemos hacer?

Jeannette: Hablar de nuestra mala suerte. De nuestra pequeña mala suerte, ya que después tendremos que callar eternamente. Decirnos qué estúpido es errar por un día, errar por un minuto, para siempre.

Frédéric *(grita)*: ¡Pero esta mañana yo quería a Julia!

Jeannette: Sí, y seguramente todavía la quiere… Se marchará dentro de un rato con ella, de todos modos. Y ella lo tendrá toda su vida. Por eso me atrevo a hablar, porque es más rica que yo.

Frédéric: ¡Julia es buena, no debe sufrir!

Jeannette: Lo sé. Y también sé que mi pena es demasiado nueva, no pesa lo mismo. Y que mi recuerdo es el que debe palidecer en usted como una vieja fotografía, poco a poco. Sé que un día no recordará exactamente mis ojos –los ha mirado tan poco– y otro día, el día del nacimiento del primer hijo de Julia quizá, o bien de su bautismo, los perderá para siempre.

Frédéric *(lanza un grito sordo)*: No.

Jeannette: Sí. Por eso me atrevo a decirlo todo. Hablo como los que van a morir. Y ni siquiera por una buena causa; vergonzosamente, sin ser demasiado compadecida.

Frédéric: Me marcharé con Julia dentro de un rato y me casaré con ella, sí. Pero a usted no la olvidaré nunca. *(Un silencio.)*

Jeannette *(dulcemente, con los ojos cerrados)*: ¿Hay que dar las gracias, no es cierto, como los pobres? *(Otro silencio.)*

Frédéric: Esta turbación, esta angustia que nos asaltaron hoy a los dos, no deben de ser el amor, no es posible; pero ya no podré borrarlos de mí.

Jeannette *(con los dientes apretados)*: Yo sí. Desde mañana. ¡Se lo juro!

Frédéric: ¿Podrá?

Jeannette: ¡Tendré que poder! Tendré que arrancarme mi mal, sola, como los animales se arrancan una espina de la pata, con los dientes. No quiero amar sin nada en los brazos. No quiero amar a uno y tener a otro.

Frédéric: ¡Pero nosotros no nos queremos! ¡Ni siquiera nos conocemos!

Jeannette *(sacude la cabeza)*: Es cierto, no debo de quererlo, le odio demasiado. ¿Qué vino a hacer aquí?

¿No podía casarse allá con Julia, sin que yo lo supiera? Ayer me reía, ayer tenía un amante, no estaba segura de quererlo y me daba lo mismo. El aseguraba que me quería, y ayer eso me divertía.

Frédéric: ¿Por qué le escribió que lo dejaba esta noche?

Jeannette: Por nada. Para ser una mujer libre cuando le dijera adiós. Y si hubiera podido abandonar también a los otros, a los de antes, y borrar la huella de sus manos sobre mí, lo hubiera hecho.

El padre *(se vuelve en su sillón, durmiendo, suspira)*: ¡Sí, pero entendámonos, pago yo!

Frédéric *(sonríe a pesar suyo)*: ¿Con qué sueña?

Jeannette *(sonríe también)*: No sé. Tal vez con la comida de bodas... ¡Pobre papá! Cuando se marche Lucien, nos quedaremos los dos solos. ¡Una pareja curiosa! *(Se han acercado para mirar al padre.)*

Frederic *(dice de pronto, suavemente)*: Le pido perdón.

Jeannette *(sonríe)*: ¿Por qué? Ya me pidió perdón sin motivo esta mañana, en el momento del pollo... Al fin, todo esto es justo: Lo contrario sería terrible. Julia es una verdadera mujer, yo no. Usted la quiere desde hace meses y meses, a mí sólo desde esta mañana, y todavía no es muy seguro. Es una locura mía haber hablado. Historias como la nuestra deben ocurrir todos los días; pero las gentes se contentan con lanzar un gran suspiro pensando: "Lástima que sea demasiado tarde", y se miran después con ojos raros durante años. Eso pone misterio en las familias... *(Se oye silbar a* Lucien *fuera. Surge súbitamente de la noche detrás de ellos.)*

Lucien: ¿Qué hacen, niños? ¿Mirando cómo hace nono papá? *(Se acerca.)* ¿No los hace estremecer ese cadáver con la boca abierta? ¡Qué sorprendido parece! ¡Así era, pues, la vida! Debían haberme avisado. Demasiado tarde, querido amigo, demasiado tarde. Duérmase. Tome tranquilamente su pequeño adelanto de muerte. Pero no ronque, porque si no, silbo; me gustan los muertos discretos. *(Los mira.)* ¿No se aburren mucho los dos solos? *(Mira a las otras a quienes se ve pasar por el fondo en la cocina iluminada.)* Miren las hormigas. Y frotan y friegan en la cocina, creen asir la verdad como el mango de una cacerola, no dudan de nada. Nos odian a los dos, saben que nuestra mugre será la más fuerte mañana –y quizá pierdan el tren por eso–, pero no importa, no quieren que se diga que dejaron la cocina sucia... Cada uno pone su honor donde puede, ¿no es cierto? ¿Dónde pones el tuyo, Jeanneton? *(Un silencio: los otros no le contestan; va a la mesa a servirse un vaso de vino.)* ¡Me encantan las amas de casa! Son la imagen de la muerte. Qué curioso espectáculo debe de ser, visto de lejos, el de todas esas desdichadas que frotan incansablemente el mismo rinconcito del decorado, día tras día durante años y años, vencidas cada noche por el mismo polvo... Y el ama de casa se gasta, se seca, se arruga, se estropea, se tuerce y estalla al fin una noche, después de la última limpieza, deslomada... Entonces, en el mismo rinconcito del decorado, que no se ha movido –¡no es tan tonto!, tiene tiempo–, vuelve a caer al día siguiente una nueva capa de polvo. La buena, ésta. *(Se estira, bosteza, bebe de nuevo.)* Es cierto que si no hicieran esto, ¿qué harían las pobres? ¿El amor? *(Se levanta.)* Todo el mundo no puede hacer el amor, no sería serio. ¿No es cierto, querido cuñado? *(Se le oye reír en la sombra y ya no se le ve. Silba una marcha mientras se aleja por el jardín.)*

Frédéric *(sordamente, de pronto)*: El amor. ¿Cree que no es también una lucha de cada día?

Jeannette *(sonríe un poco cansada)*: Una lucha de cada día, pero no tan dura como hoy... No podría más.

Frédéric *(sonríe un poco cansado también)*: Sí. La jornada ha sido dura. *(Un silencio; prosigue.)* Y todavía queda la noche. Y después habrá que despertar.

Jeannette: Yo, que soy una mala mujer, no me moveré de mi cama deshecha. Tapada hasta los ojos con las ropas... Papá vendrá a gritar a mi puerta y luego hará recalentar solo el café viejo. Más tarde, a eso de mediodía, le oiré gritar cuando no encuentre la llave para abrir una lata de sardinas. Y seguiré haciéndome la muerta hasta la noche.

Frédéric: Y matado el primer día, quedarán los otros. *(Grita de pronto.)* ¡No podré! *(Jeannette lo mira; él continúa.)* Quiero luchar, sí, pero no contra esta parte de mí mismo que grita. Quiero luchar, pero no contra esta alegría. *(La mira; grita de nuevo.)* ¡Ah, qué lejos está usted del otro lado de esta mesa! Qué lejos estuvo todo el día de hoy.

Jeannette: Era necesario. ¿Qué hubiera sucedido si usted me hubiese tan sólo rozado?

Frédéric: Hemos luchado todo el día sin tocarnos, sin atrevernos siquiera a mirarnos. Y rodábamos por el suelo, nos ahogábamos sin un gesto, sin un grito, mientras los otros nos hablaban... Ah, qué lejos está usted todavía. Y sin embargo, nunca más estará tan cerca.

Jeannette: Nunca más.

Frédéric: Nunca más, ni siquiera en pensamiento... No debemos hacerlo, ¿verdad?, si queremos ser los más fuertes. No debemos imaginarnos una sola vez uno en brazos del otro...

Jeannette *(con los ojos cerrados, sin moverse)*: Mañana, no. Pero esta noche, yo estoy en sus brazos. *(Hay un silencio; luego* Frédéric *suspira también con los ojos cerrados.)*

Frédéric: No podía más... Oh, no se mueva. Es tan bueno de pronto, que no puede ser malo. *(Jeannette tiene también los ojos cerrados. Hablarán así desde lejos, sin hacer un gesto los dos.)*

Jeannette: Sí, es bueno. *(Otro silencio.)*

Frédéric *(en un soplo)*: Entonces era posible. Me parece estar bebiendo agua. Qué sed tenía.

Jeannette: Yo también tenía sed. *(Un silencio;* Jeannette *dice al fin, sordamente.)* Quizá deberíamos llamarlos ahora. Despertar a papá o salir con Lucien, pero que haya alguien con nosotros

Frédéric *(grita de pronto)*: ¡Espere! Sufro demasiado. Yo tampoco sabía lo que era sufrir. *(Abre los ojos, da un paso, pregunta.)* ¿Quién es ese hombre?

Jeannette: ¿Qué hombre?

Frédéric: Su amante.

Jeannette *(retrocede un poco en la sombra)*: ¿Qué amante? Yo no tengo amante.

Frédéric: Acaba de decírmelo hace un instante. ¿Quién es ese hombre que usted va a ver todas las noches?

Jeannette *(grita)*: ¿Quién le dijo que iba a verlo todas las noches? ¿Usted escucha lo que dicen los demás?

Frédéric: Usted misma me lo dijo.

Jeannette: ¡Le mentí! No era cierto. ¿Se lo creyó? No tengo un amante.

Frédéric: ¿Entonces por qué me lo dijo? Yo creo todo.

Jeannette: Para que me escuchara. Usted no pensaba más que en huir. ¡En intentar no quererme con todas sus fuerzas!

Frédéric: Y todas mis fuerzas me decían que no. Todas mis fuerzas iban pasándose al enemigo. ¿Qué rostro extraño tienen esta noche? Ya no las conozco. Y ninguna me tiende la mano esta noche. ¿Qué decía ese telegrama?

Jeannette: ¿Qué telegrama?

Frédéric: El que usted acaba de romper.

Jeannette: Usted me asusta. Parece un juez. Se acuerda de que recibí un telegrama, de que lo rompí. Se acuerda de todo.

Frédéric: Sí. Antes lo olvidaba todo, los nombres de las calles, los números, los insultos, los rostros. Julia se reía de mí. Ahora ya no olvido nada. Todo está en su sitio con un rótulo y un signo de interrogación. ¡Qué contabilidad abrumadora es vivir! ¿Qué decía ese telegrama? Contésteme.

Jeannette: ¿Cómo quiere que le conteste? Ya lo vio. Lo rompí sin abrirlo.

Frédéric: Recoja los pedazos del suelo y léalos.

Jeannette: No sé dónde están.

Frédéric: Yo sí lo sé. A sus pies.

Jeannette: Está oscuro. No podría leer.

Frédéric: Encenderé.

Jeannette *(grita de pronto)*: ¡Ah, no, por favor, no encienda, no me obligue a leer. No me obligue a mirarlo a la cara. Créame. Sería tan fácil creerme en esta oscuridad.

Frédéric: ¡No le pido otra cosa que creerle! Creerle como un niño, como un negro. Todo grita en mí que quiero creerle. ¿No se oyen desde afuera todos esos gritos? Pero no puedo. Usted miente siempre.

Jeannette: Sí, miento siempre, pero a pesar de todo tiene que creerme. No digo verdaderas mentiras. Todo hubiera podido ser verdadero con un poco de suerte. Todo resultaría tan verdadero si usted quisiera. ¡Ah, por favor! El papel es tanto más sencillo para usted. Le basta con querer.

Frédéric: Quiero, quiero con todas mis fuerzas, como en los sueños, pero no puedo. ¿Quién le ha enviado ese telegrama?

Jeannette: ¡Ya ve, sigue preguntando, y no tengo más remedio que mentirle para ganar un poco de tiempo!

Frédéric: ¿Por qué ganar tiempo?

Jeannette: Todo es aún tan frágil. Es demasiado temprano para hablar. Mañana nos conoceremos. Mañana seremos quizá más fuertes que las palabras... Ah, si espera, si espera un poco tan sólo. Soy tan pobre esta noche frente a usted. Mi bagaje es tan pequeño todavía. Una verdadera mendiga. Déme dos centavos, dos centavos de silencio.

Frédéric *(sordamente)*: No puedo.

Jeannette: Entonces hágame otras preguntas... ¡Pregúnteme por qué tiemblo cuando le hablo, por qué lloro cuando le miento, por qué me embrollo tanto, yo que estoy segura de todo y me río con los otros!

Frédéric: No puedo. Quiero saber quiénes son los otros, quiero saber todo lo que puede hacerme daño.

Jeannette *(hace de improviso un gesto desesperado; grita)*: ¡Entonces, paciencia, usted lo ha querido! Tómeme o rechéceme con mi vergüenza. Ahora tiene que cargar con la mitad. Sola no puedo. Debemos compartirla. Todo era cierto, sí, hace un rato; tengo un amante y él es quien me escribe para suplicarme que no lo abandone, sin duda; y tuve otros antes, sin amor, sin saber que era preciso esperar, que había un muchacho en algún lugar de la tierra a quien no conocía y que le estaba robando... Eso es todo. Ahora lo sabe, y sabe además que sólo sé mentir para defenderme. *(Un silencio.)* No dice nada más. Está de pie a mi lado, lo oigo respirar en la oscuridad y siento que Julia debe de ser en este momento una gran mancha clara en el fondo de usted. Nunca podrá querer como a Julia, ¿verdad?, a esta mentirosa. *(Añade en voz baja, de pronto.)* Y sin embargo, con mi vergüenza y mis historias y mi maldad en el corazón, soy como una muchacha en este momento, delante de usted –los otros no lo sabrán nunca–, sin ramillete, sin velos claros, sin inocencia y sin niñitos que le tengan la cola, una novia toda de negro... *(Añade en voz más baja, si es posible.)* Y sólo para usted, si se digna verla. *(Frédéric da de pronto un paso. La toma en sus brazos, la besa. Jeannette se suelta con un grito de bestezuela herida y huye. Él se queda solo, inmóvil, en la habitación oscura. La Madre entra y enciende la araña que proyecta una claridad triste.)*

La madre: No se ve nada aquí. ¿Qué haces en la oscuridad? *(Ordena las cosas en el aparador.)* Ya está. Esa cocina nunca habrá estado tan limpia. ¡Pobre Julia! Tenía lágrimas en los ojos... La comprendo. Se parece tan poco a ellos. Ah, por Julia me quedé esta mañana. ¡Gracias a Dios, ya ha terminado! Hicimos lo que se debía; nos marcharemos los tres y no volveremos a verlos tan pronto. ¿Qué tienes? Estás muy pálido. ¿Estás cansado?

Frédéric: No, mamá.

La madre: Esta luz. *(Mira al padre.)* El viejo bandido duerme. Es el menos malo de los tres. ¿Has visto a la otra, a esa audaz que nos dejó hacer todo a Julia y a mí? Trataremos de que no venga a la boda. Julia piensa como yo. Tus tíos nunca comprenderían que te dejara casar con la hermana de una mujer así. ¡Pobre Julia! Ya ha sufrido demasiado por ella. Ahora basta. *(Vuelve a la cocina gritando a* Julia, *a quien se distingue en el fondo.)* ¡Hay que dejar el resto, hijita, si no queremos perder el tren! *(Desaparece con* Julia *en el fondo. Frédéric no se ha movido. Una puerta se abre de pronto. Aparece* Jeannette. *Hablarán ahora en voz baja, como criminales.)*

Jeannette: ¿Qué vamos a hacer?

Frédéric: Hay que decírselo.

Jeannette: Ahora que yo soy la más rica, me da vergüenza. Llámela usted.

Frédéric *(llama casi en voz baja)*: Julia.

Jeannette: Más fuerte. No puede oír... *(Grita.)* ¡Espere! Está mal lo que hacemos.

Frédéric: Sí, está mal.

Jeannette: Nadie podrá comprender nunca, nadie nos disculpará nunca, ¿verdad?

Frédéric: No, nadie.

Jeannette: Estamos aquí como dos asesinos que no se

atreven a mirarse a la cara. Pero es preciso. Sería más feo no decir nada.

Frédéric: Y mañana será demasiado tarde. *(Llama en voz baja otra vez.)* Julia.

Jeannette: ¡Espere! Julia va a perderlo. De pronto no lo tendrá más en sus brazos. Trato de imaginarme lo que es no tenerlo más en los brazos.

Frédéric: Como hace un instante.

Jeannette *(con un grito)*: ¡Ya no me acuerdo! ¡Ah, qué bien estamos los dos! ¿Cuándo fue? ¿Fue ayer cuando no nos conocíamos?

Frédéric: Ya no sé. Hay que llamarla.

Jeannette: ¡Espere! *(Grita de nuevo.)* ¡Ah, si usted pudiera no haberla conocido nunca! ¡Si hubiera podido encontrarme a mí primero! Lo toco, lo toco de verdad. ¡Perdón, Julia, por ser esto tan bueno!

Frédéric *(mirando a lo lejos)*: No hay que pedirle perdón. No hay que intentar explicarle. Hay que decírselo rápido, como quien da una cuchillada. Matarla pronto y luego huir.

Jeannette: ¡Cuánto la quiere todavía!

Frédéric: Sí. *(Llama más fuerte esta vez.)* ¡Julia!

Julia *(aparece en la puerta de la cocina con un repasador en la mano)*: ¿Me llamabas?

Frédéric (en voz más baja): Sí, Julia. *(Se han soltado, están uno al otro mirando hacia adelante.* Julia *entra, los mira.)*

Julia: ¿Qué hay?

Frédéric *(empieza)*: Mira, Julia. Será difícil decirlo y seguramente no podrás comprender. No voy a casarme contigo, Julia.

Julia *(no se mueve primero, luego deja el repasador sobre una silla. Mira a* Jeannette, *pregunta)*: ¿Qué te dijo?

Frédéric: No me dijo nada. No puedes saber. Nunca podrás saber, nunca podrás comprender. No es culpa nuestra. Hemos luchado los dos desde esta mañana.

Julia: ¿Habéis luchado? ¿Quiénes, vosotros?

Frédéric *(hace un gesto)*: Los dos. Te marcharás con mamá, Julia, yo me quedo.

Julia: ¿Dónde te quedas?

Frédéric: O si te parece mejor, tú te quedas y nos marchamos nosotros.

Julia: ¿Pero nosotros, quiénes? *(No contestan; ella prosigue en voz más baja.)* Cuando dices "nosotros",

¿no te refieres a nosotros? ¿Con quién hablas de marcharte? *(No contestan.)* Tratáis de asustarme, ¿verdad? Y ahora vais a reíros. ¿O tal vez queréis que me ría primero? *(Trata de reírse desmañadamente y se detiene ante la mirada de ellos.)*

Jeannette *(suavemente)*: Voy a hacerte daño, Julia. Las dos nos detestamos desde muy pequeñas. Pero hoy quisiera ser humilde contigo, Julia. Quisiera ser tu sirvienta.

Julia: ¡Deja ese aire dulce! ¡Me das miedo!

Jeannette: Siempre nos hemos disputado todo: los juguetes, los trapos. Quisiera darte todo lo que tengo hoy. Pero no tengo nada más que mis vestidos agujereados y él, y no puedo dártelo. Quisiera afearme para que sufrieras un poco menos, estropearme la cara, cortarme el pelo. Pero por él tampoco quiero volverme fea.

Julia: ¿Pero tú crees que él puede quererte? ¡Eres todo lo que odia en el mundo!

Jeannette *(humildemente)*: Sí, Julia.

Julia: ¡Eres el desorden, eres la mentira, eres la pereza!

Jeannette: Sí, Julia.

Julia: ¡Él que es tan puro, tan exigente, él que es el honor! ¿Quererte a ti? ¿Estás bromeando? ¿Le has hablado de tus amantes?

Jeannette: Sí, le he hablado.

Julia: ¿Y del último, del que te paga, le has hablado? Estoy segura de que no le has hablado de ése.

Jeannette *(grita de pronto, transfigurada)*: ¡Gracias, Julia!

Julia: ¿Por qué gracias?

Jeannette: Acabas de ser mala por fin.

Julia: ¿Esperabais que no iba a defenderme? ¿Ella te ha engatusado? ¿Se frotó contra ti, como con los otros? ¿Te dio su boca en un rincón, o quizá en las dunas?

Frédéric *(grita)*: ¡Nunca hemos estado solos, ni siquiera hemos hablado!

Julia: Oh, ella no necesita tanto tiempo ni largos discursos. Pregúntale cómo hacía antes, por las noches, con los pequeños pescadores a lo largo de las barcas. ¡Sobre las redes, con olor a pescado!

Jeannette: ¡Gracias, Julia, gracias!

Julia: ¡Guárdate tus gracias, ladrona!

Jeannette : ¡Ahora que te defiendes, ya no tengo vergüenza! ¡Gracias, Julia!

Frédéric *(quiere apartarla)*: ¡Cállese! ¡Déjela!

Jeannette: ¡Hubieras podido llorar, ahogarte de pronto y quizá él hubiera tenido compasión de ti, pero te pusiste a defenderte como una mujer a quien van a robar!

Julia: ¡Ladrona, sí, ladrona!

Frédéric: ¡Cállense las dos!

Julia: ¡Callarme! ¡También tengo que callarme! ¿Te lleva y debo callarme?

Jeannette: ¡Qué torpe eres, Julia! Estás muy tiesa, muy digna. Sólo piensas en tu odio. Sólo piensas en el agravio que te hacen. ¡Llora más bien, llora, pues, enternécelo!

Julia: Te alegrarías demasiado si llorara; ¡ni lo pienses!

Jeannette: ¡Llora! Es lo único que espera para recobrarte. Todavía te quiere, ya lo ves. ¡Míralo, por lo menos!

Julia: No.

Jeannette: ¡Yo grito, estoy despeinada, soy fea! Le desagrado en este momento. Te echa de menos. ¡Llora; llora rápido, Julia!

Julia: ¡No! Tendré tiempo de sobra para llorar. Las lágrimas serán para cuando esté sola.

Jeannette: ¡Arráncame los ojos, entonces! ¡Aráñame, pégame, no me defenderé! ¡Pero haz algo feo, tú también, para que yo no sea la única! Él no piensa más que en ti, no te oye más que a ti en este momento. ¡Haz algo feo, haz algo feo o te mato, te escupo a la cara! *(Se lanza sobre Julia. Frédéric la arranca lastimándola y la rechaza a lo lejos.)*

Frédéric: Déjala ahora. ¡Yo lo quiero!

Jeannette *(grita triunfante desde lejos)*: ¡Me ha pegado, ves, me ha pegado! ¡A mí me ha pegado! ¡Soy yo su mujer!

Frédéric *(suavemente a* Julia*)*: Vete, Julia. Vales más que ella, estoy seguro, y quizá hizo todo lo que decías, pero dice la verdad: ella es mi mujer ahora.

Julia *(se aparta y huye hacia la cocina gritando.)*: ¡Socorro, mamá, socorro!

Jeannette *(con los ojos cerrados, dice de improviso con voz ronca)*: ¡Cómo debe de odiarme usted en este momento!

Frédéric *(con dureza, sin mirarla)*: Suba a su cuarto; tome lo que quiera llevar y espéreme fuera. *(*Jeannette *sale.* Lucien *aparece de pronto.)*

Lucien: No irá usted a hacer eso, ¿verdad?

Frédéric: Sí. En seguida.

Lucien: No haga eso. Fracasa siempre.

Frédéric: ¿Por qué?

Lucien: Porque es demasiado bueno. Y todo lo que es bueno está prohibido, ¿no lo sabe? *(Se sirve un vaso de vino tinto.)* Mire este vaso de vino, no es nada, pero da un poco de calor al pasar... Está prohibido. Hay que aprovechar un momento de distracción. *(Vacía el vaso de un trago.)* ¡Hop! Esta vez no me vio.

Frédéric: ¿Quién?

Lucien *(señala el cielo con el dedo)*: El otro que está allá arriba. Cada vez que uno es feliz, se pone espantosamente colérico. No le gusta.

Frédéric: Está usted borracho.

Lucien: Todavía no, desgraciadamente. Sólo estoy borracho mucho más tarde, a la noche. No hará eso, ¿verdad? Está perdido de antemano.

Frédéric: Lo veremos.

Lucien: Yo ya lo veo. Los veo dentro de ocho días, los veo dentro de un mes a los dos, los veo dentro de un año. Es como una película que va pasando. Una terrible película. Todavía hay tiempo. Vaya a buscar a Julia y a su mamá a la cocina. Dígales que han soñado.

Frédéric: ¡Yo no he soñado!

Lucien: Míreme, amigo. No tengo un aire tierno. ¡No haga eso! Nada más que por Julia.

Frédéric: ¡Ya no puedo pensar en Julia!

Lucien: El amor no es nada. Irrisión, mentira, viento. Ella se morirá de veras. ¡No haga eso! No vale lo que Julia sufrirá, no vale el trabajo que uno se toma, sobre todo, no vale el daño que se causa a los demás. El amor no es nada. No merece las lágrimas de un chico. ¡No haga eso!

Frédéric: Ya me he dicho todo. Es demasiado tarde.

Lucien: No pudo decirse todo, usted no sabe nada. Yo sí sé. ¡Yo sé todo! ¡Soy instruido! ¡Me han costado bastante caro mis queridos estudios! Y todavía los estoy pagando. Debí inscribirme en cuotas. Pagaderas toda la vida... Pero ahora puedo hablar. ¡En amor soy licenciado! ¡Me he recibido de doctor-cornudo! ¡Tengo autoridad en la materia! No haga eso, amigo. Está perdido de antemano.

Frédéric: ¿Por qué?

Lucien: ¡Por nada! Porque es una mujer. Porque uno está sólo en el mundo. Porque una noche dentro de un mes, dentro de un año, dentro de diez años, cuando usted crea tener a su compañerita en los brazos, se dará cuenta de que es como los otros. Que sólo tiene una mujer, que no tiene nada.

Frédéric: Basta ya. Cállese usted también.

Lucien: Cásese con Julia. Tenga hijos. Conviértase en un hombre. En un hombre con un oficio, en un hombre de dinero, en un hombre con una amiga, más tarde, nadie se lo reprochará, en un verdadero hombre. No se haga el malo. ¡Es tan sencillo ser feliz! Hay fórmulas y los hombres han pasado siglos perfeccionándolas. Trampee, amigo; trampee con todo, con usted especialmente. Es el único modo de que el otro allá arriba lo deje tranquilo. Tiene una debiliad por los tramposos, o es miope, o bien duerme. *(Señala al padre.)* Duerme como éste, con la boca abierta, y cuando no hacen demasiado ruido, deja hacer... Pero tiene una nariz, un olfato terrible, y el olor, nada más que el olor del amor, lo huele. Y no le gusta absolutamente nada el amor. Entonces se despierta y empieza a ocuparse de usted. Y es andar a los saltos, como en el regimiento. ¡Media vuelta! ¡No hacerse el vivo conmigo, ladrón! ¡No me gustan las malas cabezas! ¡Ya he amansado a otros! ¡Será cornudo! ¿Cómo? ¿Cómo? ¡No está contento! ¡Reviente! ¡Ya aprenderá! ¡La muerte! ¡La muerte! ¡La muerte! ¡La muerte! ¿Leyó usted la paginita al dorso de la libreta militar en que bajo todas las formas se promete la muerte a los jóvenes reclutas? ¡Eso es el amor!

Jeannette *(aparece con un abrigo, una boina y un atadito)*: Bueno. Estoy lista.

Frédéric: Venga. *(La toma de la mano, salen y se hunden en la noche. Lucien no se ha movido. Se sirve el resto de vino, alza el vaso al cielo, pregunta.)*

Lucien: A la salud de ellos. ¿Me permites?

El padre *(a quien el silencio despierta y tratando de disimular que ha dormido)*: ¿Dónde estamos, niños? ¿Pronto acabará?

Lucien *(lo mira, sonríe)*: Pronto, papá. La cosa empieza.

TELÓN

Acto III

Un pabellón abandonado en el bosque. La habitación está enteramente vacía. El comienzo de una escalera en la pared del fondo. Un canapé volcado en el suelo. Delante de la ventana sin vidrios, una cortina oscura que se hincha con el viento. La habitación está sumida en la oscuridad. Se oye la tormenta fuera. Jeannette *entra con* Frédéric. *Están empapados.*

Jeannette: Entremos aquí. Estaremos protegidos. *(Entra. Una vez cerrada la puerta, súbita calma.)* Es un pabellón del bosque abandonado hace mucho tiempo. Cuando me sorprende la lluvia, me refugio aquí a veces. *(Una pausa. Están de pie en medio de la habitación en sombras. Ella murmura.)* Estaremos mejor aquí que en la estación para esperar la mañana. *(Una pausa. Una ráfaga levanta la cortina.)*

Frédéric *(murmura)***:** ¡Qué tormenta!

Jeannette: Sí. No quedan vidrios en la ventana. *(Otra pausa. Añade.)* Si usted tuviera cerillas, hay una lámpara allí en el rincón. *(Él le pasa una caja de cerillas. Ella enciende la lámpara.)* El propietario es muy amable. Sabe que a veces vengo aquí, me deja esta lámpara.

Frédéric: ¿Usted lo conoce?

Jeannette: Un poco. *(Sujeta con una tabla la cortina que el viento hincha.)* Si encendemos, es preferible correr la cortina, la luz se ve desde lejos en el bosque. *(Él mira a su alrededor. Ella se acerca al canapé y lo levanta.)* No hay más que un viejo canapé roto, pero a pesar de todo se mantiene en pie. *(Frédéric ve la escalera; pregunta.)*

Frédéric: ¿Y arriba? *(Jeannette vacila un poco.)*

Jeannette: Arriba hay una especie de desván. Hay un jergón viejo en el suelo, antiguas cortinas rojas, todas apolilladas, que colgué en la pared y un baúl vacío que sirve de mesa. Es mi casa. Allí duermo a veces en verano. Se lo mostraré en seguida. *(Una pausa. Están uno frente al otro, sin osar moverse. Ella murmura.)* Bueno.

Frédéric: Bueno. *(Un silencio. No se mueven, incómodos. Se oye la tormenta.* Jeannette *repite.)*

Jeannette: A pesar de todo se está mejor aquí que en la estación para esperar la mañana.

Frédéric: ¿Tiembla?

Jeannette: Sí.

Frédéric: Está toda mojada. ¿Tiene frío?

Jeannette: No, no tengo frío. Es que mi abrigo está mojado. Quítese la chaqueta para que se seque. Voy a buscarle algo arriba. *(Desaparece ligera. Se la oye caminar arriba.* Frédéric *se quita la chaqueta. Ella baja con una manta que le echa sobre los hombros.)* ¡Eso es! Está guapo así. Parece un viejo jefe piel roja. *(*Frédéric *quiere tomarla en sus brazos. Ella se suelta imperceptiblemente; murmura.)* Tengo miedo.

Frédéric *(suavemente)*: Yo también tengo miedo. *(Una pequeña pausa.* Jeannette *le sonríe.)*

Jeannette: ¿Le doy miedo con el pelo mojado? Soy fea.

Frédéric: No.

Jeannette: Dicen que parezco una loca cuando me ha llovido en el pelo.

Frédéric: ¿Quienes?

Jeannette: Los otros. *(Rectifica.)* Las gentes.

Frédéric: Parece una dríade.

Jeannette: Me hubiera gustado ser una verdadera dríade, nunca peinada, que grita insultos a la gente, sola en lo alto de las ramas. Nunca han existido realmente, ¿verdad?

Frédéric: No sé. *(*Jeannette *alza los ojos hacia él, súbitamente grave. Le dice.)*

Jeannette: Además a usted deben de gustarle las mujeres de mechas bien ordenadas, que se cepillan largo rato en su cuarto por la mañana. *(Se pasa los dedos separados por el pelo, corre de pronto a su paquetito de ropa y lo revisa febrilmente.)* No, no he traído peine. Compraré un cepillo mañana. *(Está de pie delante de él; le grita de pronto.)* ¡Y estaré peinada, bien peinada, peinada como no me gusta y como a usted le gusta, peinada como Julia! *(Se quedan los dos cortados un instante, de pie uno delante del otro; luego baja los ojos y dice, de nuevo humilde.)* Perdóneme, pero me gustaría tanto agradarle. *(Otra pausa; grita.)* ¡Espere! No he traído peine, pero traje algo en esta caja. *(Toma una caja mal atada que traía al entrar y sube. Él se queda solo, desconcertado. Se la oye gritar desde arriba.)* ¡No mire! Si hace un gesto, bajo y no verá absolutamente nada. Tardo mucho porque estoy a oscuras.

Frédéric: ¿Quiere la lámpara?

Jeannette: Gracias, no la necesito. No se mueva. *(Pregunta.)* ¿Es aburrido esperar?

Frédéric: No.

Jeannette: Será recompensado. *(Un breve momento de silencio en que no se la oye, y de pronto aparece a la luz fantastica de la lámpara en lo alto de la escalera. Se ha puesto apresuradamente, conservando los zapatones de muchacho, un insólito y frágil vestido blanco. Se queda inmóvil un segundo delante de* Frédéric, *mudo; de pronto grita.*) Bueno. ¡Ahora me muero de vergüenza, voy a quitármelo!

Frédéric (*sordamente*): No. (*Jeannette se detiene. Él pregunta.*) ¿Había traído ese vestido en el paquetito?

Jeannette: En el paquetito, no. En esa caja grande que tropezaba con todos los árboles del bosque. Es lo más precioso que tengo en el mundo.

Frédéric: Pero es un vestido de novia...

Jeannette: No. Es blanco, pero es un vestido de baile, un verdadero vestido de baile, como los de los catálogos... (*Se turba un poco.*) Pero no es nuevo, sabe... Se lo compré a un cambalachero. Había conseguido dinero vendiendo huevos de pato silvestre que voy a buscar a los cañaverales. Son muy raros los huevos de pato silvestre por aquí. Las gentes los hacen empollar por sus patas, y así tienen otra raza mucho más solicitada... (*Jeannette tiene la impresión de que él cree quizá que miente; añade.*) Había vendido huevos durante toda la estación y tenía bastante dinero. Porque, por supuesto, el vendedor no me dio por nada este vestido. Sobre todo que tiene un aspecto casi nuevo ahora que lo limpié. (*Su voz se apaga. Frédéric no dice nada; la mira. Ella murmura, volviendo a subir.*) Voy a quitármelo.

Frédéric (*sordamente*): No. Déjeselo. (*Jeannette baja en silencio a su lado sin quitarle los ojos de encima. Cuando está delante de él, después de un segundo de* *espera,* Frédéric *la toma en sus brazos.)* Me da lo mismo que sea nuevo y que alguien se lo haya dado.

Jeannette: ¿Por qué no me cree nunca? Estoy segura de que le cree a Julia cuando le dice algo.

Frédéric: Sí, le creo.

Jeannette: ¿Y a mí no?

Frédéric: No.

Jeannette *(se desprende de él)*: ¡Entonces vaya a buscarla, yo también quiero que me crean! *(Vuelve a sus brazos.)* No. No se mueva. Voy a decírselo. Siéntese. *(Lo hace sentar y se sienta a sus pies.)* No lo compré sólo con huevos de pato silvestre, naturalmente. Hubiera necesitado muchísimos. Pero con todo es cierto para una pequeña parte de la suma. En cuanto al resto, no quería decírselo, porque no sabía si le iba a gustar. Papá había empeñado unos cubiertos de plata hace mucho tiempo. Siempre renovaba, pero iba a expirar el plazo. Le robé la papeleta que estaba entre otras. Tiene un cajón lleno. Desempeñé los cubiertos –con el dinero de los patos silvestres, precisamente–, y los vendí para comprarme este vestido. Él nunca hubiera tenido bastante para desempeñarlos y hubiera perdido los cubiertos. Además, como me quedaba algo, le compré una caja de cigarros. Una caja pequeña, porque el vestido costaba muy caro. *(Una pausa, añade.)* Porque bien puedo decírselo, ahora que sabe cómo obtuve el dinero. Lo compré nuevo en una gran tienda de París. Lo elegí en el catálogo y me lo enviaron por correo. Así fue. *(Otra pausa; ella pregunta.)* ¿Está triste?

Frédéric: No.

Jeannette: ¿Me cree ahora?

Frédéric: Sí.

Jeannette *(suspira, apoyando la cabeza en las rodillas de él)*: Es tan sencillo decir la verdad, pero no nos damos cuenta.

Frédéric: Dese cuenta, por favor, para que no sufra demasiado.

Jeannette: ¿Es cierto que sufre? Hace un rato, sin embargo, me dijo que le daba lo mismo que el vestido fuera nuevo y que alguien me lo hubiese dado.

Frédéric *(con los ojos cerrados)*: No era cierto.

Jeannette: Ah, bueno. Estoy contenta. Porque si sólo me quisiera de ese modo, si sólo me deseara y pasase por alto todo lo demás, sería muy desdichada. Tiene que creer en mí y hacerme muchas preguntas.

Frédéric: Quiero creer en usted con todas mis fuerzas y preguntarle la verdad, cada mañana, como quien pide un trozo de pan para la jornada.

Jeannette: Eso es. Cada mañana, al despertar, le diré la verdad. Qué bueno será darle todo lo que tengo en mí como un pequeño bagaje. Quedaré ligera. A la noche le daré también mi paquetito de verdad antes de dormir. Naturalmente, a la noche será un poco más embrollado.

Frédéric: ¿Por qué?

Jeannette *(suspira)*: ¡Porque los días son tan largos! ¡Porque lo quiero tanto, porque tengo tanto miedo de hacerlo sufrir!

Frédéric: ¿Qué otro sufrimiento que mentir, ahora?

Jeannette: Oh, hay otros sufrimientos además de las mentiras. Uno se asusta de una mentira, pero es como una nubecita, pasa sin dejar huellas... No crea que las recuerdo todas. Si las recordara, si estuvieran todas sobre mí como moscas, entonces sí, quizá sería terrible. Pero pasada la nube vuelvo a ser lisa, es un poco como si hubiera tenido la suerte de hablar de otra cosa, y como si hubiera podido quedarme con la boca cerrada, muy tranquila, inocente, ¡vamos! ¿Comprende?

Frédéric *(suspira)*: Lo intento.

Jeannette: Un pasito a la derecha está bien, un pasito a la izquierda está mal. Y es como cuando una era pequeña, una se pregunta siempre cuál es la buena mano. *(Un silencio. Pregunta de pronto.)* Usted no había soñado con una mujer como yo, ¿verdad?

Frédéric: No, de ningún modo.

Jeannette: Y sin embargo soy yo quien está aquí esta noche, con la cabeza apoyada en sus rodillas.

Frédéric: Sí, es usted.

Jeannette: Esto es lo que llaman la fatalidad, supongo.

Frédéric: Supongo, sí.

Jeannette *(con un suspiro de satisfacción)*: Es cosa buena la fatalidad.

Frédéric *(con dureza, después de una pausa)*: Sí. Es cosa buena. Julia está allá, llorando en su cuarto vacío, y todo está devastado y trastornado, pero es cosa buena. Y esto que se ha roto en mí y que siempre me dolerá, ahora es cosa buena también. Todo es cosa buena. Todo es indulgencia terrible, dulzura espantosa.

Jeannette: ¿Y que yo sea como soy?

Frédéric: Es bueno también. Sin duda era lo más sencillo del mundo que no estábamos hechos el uno para el otro y llenos de tantas contradicciones los dos. Y que fuese preciso que quisiera primero a Julia para encontrarla a usted a través de ella, a usted que se le parece tan poco. *(Un silencio. Ella murmura.)*

Jeannette: De chicos tampoco debíamos de parecernos mucho.

Frédéric: No.

Jeannette: ¿Usted era el primero en la escuela?

Frédéric: Sí.

Jeannette: Lo estoy viendo bien limpio, con su valija. Yo era sucia, despeinada, llena de manchas, con el pelo sobre los ojos. Faltaba siempre para ir a pelearme con los granujas.

Frédéric *(sonríe)*: ¡La estoy viendo!

Jeannette: Teníamos una banda. Nos llamaban los "Ases de pique". Decían que habíamos matado a un chico, una noche de invierno, a zuecazos. Éramos terribles con tatuajes de tinta y verdaderas cicatrices por todas partes. Teníamos un hechizo, un papel rojo que masticábamos y nos daba fuerza. Se llamaba Mininistatfia. ¡Lo estoy viendo a usted, en ese tiempo, con su cuellito limpio!

Frédéric *(sonríe)*: Seguramente fingía no verla. Debía de odiarla. Nosotros también teníamos una banda. Nos llamábamos los "Sin miedo". Teníamos grados militares. Habíamos decidido purgar el país de granujas.

Jeannette *(ríe un poco)*: ¡No hay manera, buen hombre! Siempre habrá de ésos.

Frédéric: Robaban la fruta de nuestros parientes; les mostraban el trasero a la gente, tiraban de las trenzas a nuestras hermanas.

Jeannette: ¡Ah, las buenas trenzas de las chicas! ¡A propósito para que les tiren de ellas!

Frédéric: Habíamos decidido de común acuerdo que terminaríamos de una buena vez y que habría un gran encuentro la noche del 14 de julio. Habíamos hecho una tregua de una semana para prepararnos. ¡Ay, puercos! ¡Habían puesto hojas de cuchillos en la punta de los palos!

Jeannette: Nosotros también tuvimos una gran batalla, donde Julot Desmarches se rompió el brazo. La nuestra fue la noche de San Juan. Bailamos primero como salvajes delante de las hogueras. Yo me había fabricado un puño americano con clavos. Se lo planté en el trasero desde el ayudante hasta el alcalde. ¡Porque los cobardes llamaron a sus padres para que los apoyaran cuando se vieron perdidos!

Frédéric: Los "Sin miedo" sólo tenían piedras y palos. Luchábamos al descubierto con armas leales. Pero éramos nosotros los de mejor puntería. ¡Había que oír los gritos cuando acertábamos a alguien en la oscuridad!

Jeannette *(suavemente)*: Usted me arrojó una piedra una vez. Me quedó un agujero grande como una nuez en la rodilla. Déme su mano. Aquí *(Un silencio.* Frédéric *tiene la mano en la rodilla de ella. Dice gravemente.)*

Frédéric: Perdón.

Jeannette: No es nada, si ya no me duele. *(Otro silencio, suspira de satisfacción.)* Estoy bien con su mano sobre mí. Soy como un caballo que sabe que no tropieza más. Qué súbita dulzura a nuestro alrededor. ¿Ha parado la lluvia?

Frédéric: No sé.

Jeannette *(después de otra pausa)*: Es como si algo se desgarrara despacio en mí. Creo que nunca le haré daño. ¿Le parece que esto es lo que llaman ternura?

Frédéric: No sé.

Jeannette: Yo tampoco sabía. Sólo lo había leído en los libros. Creí que ocurriría al cabo de mucho tiempo.

Frédéric: Yo también lo creía.

Jeannette: No debe de ser cierto, ¿verdad? ¿Es demasiado pronto? Tengo el derecho de desearlo, de ser feliz en sus brazos, pero no de quererlo de esta manera. ¿Cómo quiere que lo ame? Ni siquiera lo conozco.

Frédéric: Yo tampoco la conozco, y sin embargo esta noche usted va a ser mi mujer. Una mujer y un hermanito, todo junto, para la vida y para la muerte, y es esta pequeña extranjera de frente cerrada. ¡Qué sencillo!

Jeannette: Para nuestras manos unidas, para mi cabeza en el hueco de su hombro, sí, es sencillo. Para nuestros corazones...

Frédéric: Bastará pensar lo contrario. Yo me decía: ella será grave y vestida de negro, como las mujeres de mi país. Un rostro liso de ojos claros bajo el pelo bien estirado, un soldadito que llevará su mochila sin quejarse, a mi lado. Pues no. Eran sus ojos donde no me animo a hundirme; eran sus mechas, su aire de granuja y sus mentiras; eran todo lo que no me gustaba lo que me gustaba.

Jeannette: ¿Y si no mintiera más, si me estirara bien el pelo?

Frédéric *(continúa)*: Yo me decía: tendré dos hijos. El mayor se llamará Alain, será terrible; y después la niña, Marie, dulce como un pájaro. Y a la noche, al regreso, deletrearé con ellos en el libro. Bueno, pues no habrá noches tranquilas, es muy sencillo, ni alfabeto bajo la lámpara, ni pequeñas miradas atentas... Habrá nuestros cuartos de hotel vacíos, sus mentiras, nuestras escenas, nuestro sufrimiento...

Jeannette: ¿Por qué dice eso con tanta dulzura?

Frédéric: Porque es dulce. No con la misma dulzura que yo esperaba, sino con otra. Lo que es dulce es haber llegado a alguna parte, aunque sea al linde de la desesperación, y decir: Bueno, era aquí. Ya he llegado.

Jeannette: ¿Y le parece que hemos llegado?

Frédéric: Sí. Esta vez, estamos. Ha sido largo y qué curioso camino. Pero tengo su calor sobre mí y estos minutos en que esperamos para poseernos tienen un sabor a bodas. Era aquí.

Jeannette *(pregunta)*: ¿Era yo?

Frédéric *(sonríe)*: Hay que creerlo.

Jeannette *(pregunta otra vez)*: ¿Y ahora es demasiado tarde? ¿Tanto peor para lo que usted hubiera querido? ¿Es usted responsable? ¿Y si sufro habrá que sentir vergüenza también, y si tengo pena, de todas maneras, la mitad es para usted?

Frédéric: De todas maneras.

Jeannette *(dice de pronto, después de una pequeña pausa)*: Comprendo que sean graves.

Frédéric: ¿Quiénes?

Jeannette: Las verdaderas novias. *(Se levanta.)* Pero lo que no comprendo es que después mientan. Que después cuchicheen historias en las cocinas. Si yo hubiera jurado una vez así, toda de blanco, con el ramillete en la iglesia, si le hubiera dicho a un muchacho:

a partir de ahora soy tu mujer, lo compartiremos todo: el bien y el mal son para los dos. ¡Sería como un soldado con su capitán, y antes podrían cortarme el brazo! *(Se vuelve, grita.)* ¿Por qué piensa siempre en Julia? ¿Por qué habla siempre de Julia?

Frédéric: ¿De Julia? ¿Qué dije?

Jeannette: ¿No se oye? Cada vez que se calla, grita "Julia"... Cada vez que sus ojos se posan en mí, la miran a ella y a pesar mío me vuelvo. ¡Si sabe que nunca me pareceré a ella! Si sabe que soy su contrario. Míreme, soy yo la que está aquí, yo, no otra, con lo bueno y lo malo que tengo en un nudito inextricable. Y hay que tomarme sin desatarlo.

Frédéric: ¡Cállese!

Jeannette: ¿Qué hace lejos de ella, lejos de su madre, lejos del notario y de las calles de su pueblo, lejos de todo lo que es bueno y seguro en el mundo? ¿Qué hace delante de esta mujer despeinada, que grita, que miente, que lo avergüenza, que le hará daño? Tiene ganas de poseerla, poséala en seguida. Es suya esta noche. Se prestará. Y a la mañana, pasado su deseo, corra pronto en busca de Julia. Ella es la que está en su corazón.

Frédéric *(la toma de la muñeca)*: Hemos sufrido bastante. ¡Ahora quiero que se calle!

Jeannette *(lucha y se suelta)*: ¡Eso es, lastímeme! ¡Tuérzame la muñeca como hace un rato para defenderla! ¡En su corazón desde siempre y para siempre, buen hombre! Y allá, en el pueblo, si ella hubiera tenido el valor de luchar, de arriesgar un poco su delantal limpio y sus libros en orden, habría llevado las de ganar, estoy segura, como los "Sin miedo" contra los granujas.

Frédéric: ¡Loca!

Jeannette: ¿Y usted se hubiera puesto delante de ella, verdad, cuando yo le arrojara piedras, para que no sufriese, para que no corriera su querida sangre? ¿No es cierto que se hubiera puesto delante de ella, como esta noche cuando quise pegarle?

Frédéric *(con rudeza, bien a la cara)*: Sí. Seguramente.

Jeannette *(grita como una niña)*: ¡Bueno, pues yo hubiera lanzado a todos mis granujas contra usted! ¡A usted lo hubieran atado a un árbol y yo hubiera desollado a su Julia, le hubiera quitado las lindas mechas bien peinadas delante de usted! ¿Ah, por qué no somos ya pequeños? ¿Por qué no podemos pegarnos? *(Se lanza de pronto en sus brazos, grita angustiada.)* Ah, si pudiera sacar su cuchillo y abrir en seguida mi corazón en dos, vería qué limpio y rojo es por dentro.

Frédéric *(la estrecha contra sí, vencido; mumura)*: Qué rápido late...

Jeannette: ¿Lo oye? Ah, si miento todavía, si me embrollo, si no puedo desatar todos los hilos que me sujetan, pobre mosca, si no encuentro bien las palabras; si le hago daño y soy injusta, piense en él por lo menos, prisionero, piense en su impotencia. Porque soy yo quien habla, y soy todavía mi astucia o mi maldad o mi orgullo, soy mujer con todo lo que ha hecho a sus espaldas y todo lo que quizá todavía es capaz de hacer, pero él es como un animal que sólo sabe saltar para hacerse entender. ¡Y salta, salta hacia usted! ¿Lo oye a través de mí? Entonces, aunque me aleje, aunque me burle, aunque parezca querer hacerle daño, escúchelo a él solamente, y no a mí. *(Se estrecha contra* Frédéric.*)* Y ahora abráceme bien fuerte, pues no será demasiada su fuerza con la mía. *(Se dirige a la ventana, corre la cortina, abre la puerta de par en par a la noche. El viento se precipita en la habitación y hace vacilar la llama de la lámpara.)*

Frédéric: ¿Qué hace?

Jeannette: Abro todo para que la luz se vea desde lejos en el bosque.

Frédéric: ¿Por qué?

Jeannette: Para que no se diga que doy menos que las verdaderas novias. Y puesto que es para bien y para mal de los dos, puede empezar en seguida, ¿no es cierto? Es como la carrera a nado a través de la bahía el 14 de julio. Siempre hay uno que sigue. Pero los que no están a la altura, que no se comprometan.

(Está apoyada en la puerta abierta en el viento, exaltada.)

Frédéric: Cierre esa puerta. Va a apagarse la lámpara.

Jeannette: Volveremos a encenderla. Volveremos a encenderla hasta que un hombre que ambulaba en este momento por el bosque como un viejo buho negro y triste vea la luz entre las ramas y venga a golpear en los vidrios. *(Frédéric da un paso, se detiene; ella continúa.)* Sabe que me ha perdido. Me busca, estoy segura. Pero es un bruto, es feo, tiene vergüenza, quizá no se atreva a entrar. ¡Entonces, que no entre, gracias! Pero que yo haya hecho todo para que venga. Es como el juicio de Dios en el libro de la escuela: el culpable y el inocente debían sostener el hierro al rojo; después sólo quedaba el valor y la suerte... Equivalía a otro proceso.

Frédéric: ¿Por qué quiere que vea a ese hombre?

Jeannette *(dulcemente)*: Es como una operación, Frédéric. Y si no pierdo mucha sangre, si no quedo demasiado desfigurada, quizá haya una pequeña posibilidad de que viva. *(Añade, grave.)* Pero después quiero que me ame como a Julia. *(Frédéric se dirige de pronto a la puerta, la cierra y se vuelve.)*

Frédéric: Si ese hombre entra aquí, si lo veo de frente, quizá no pueda amarla más.

Jeannette: Lo sé. Con el hierro al rojo tampoco había seguridad de no morir de la quemadura. Pero a pesar de todo había que tomarlo con toda la mano.

Frédéric: ¿No era bastante lo que hicimos hace un rato? ¿No bastaba con el dolor de ella?

Jeannette: No. Cada uno tiene que pagar su parte.

Frédéric: La quiero y al fin estamos solos después de esta larga jornada. ¡Ah, no esperemos demasiado! La noche se apresura a nuestro alrededor. Lo he aceptado todo, el crimen y la herida, y a usted de quien todo me es extraño, con tal de que hayamos llegado ya. *(Corre la cortina.)* Ah, se lo suplico, no exija más todavía, no busque otras maneras de sufrir. Ya ve, no le pido nada más. Los hombres luchan y mueren también por sueños, pero hay un momento en que están cansados, quieren detenerse, apoyar la mano en sus mujeres y ser un poco felices a pesar de todo. *(Da un paso hacia* Jeannette, *que retrocede.)*

Jeannette: No, Frédéric. En el bosque pensé que nunca iríamos demasiado rápido, tanto lo deseaba yo también, pero ahora, si me toca, creo que lanzaré un grito.

Frédéric: No la reconozco. ¿Quién es usted, súbitamente tensa, pálida, dispuesta a defenderse?

Jeannette: Soy hermana de ellas.

Frédéric: ¿Hermana de quiénes?

Jeannette: De sus mujeres, de todas las que están en fila con sus faldas negras, más allá del tiempo y de la muerte, montando guardia delante de su corazón. Sus tías, sus abuelas, sus primas y Julia también. Ya no me asustan. Soy como ellas. No es difícil: basta amar. *(La puerta se abre de pronto.* Lucien *aparece en el umbral, empapado.)*

Lucien: Discúlpenme. Los molesto. Esta noche todos hemos paseado mucho bajo la lluvia. Curioso tiempo para un idilio. *(Cierra la puerta.)* Me manda Azarías. No se atreve a entrar, es un tímido. Pero no es un mal muchacho y hay que convencerse de que te quería. Manda decir que puedes quedarte con el vestido. *(*Jeannette *no se ha movido.* Frédéric *se vuelve hacia ella en silencio.* Lucien *abre una caja que tenía en la mano al entrar y añade.)* Y te envía el velo que olvidaste. *(Deja tranquilamente el gran velo de tul blanco sobre una silla.* Jeannette *dice despacito en el silencio.)*

Jeannette: Sí. Era un vestido de novia.

Frédéric: ¿Y él se lo había dado?

Jeannette: Sí, ayer.

Frédéric *(después de un silencio)*: ¿Por qué trajo ese vestido?

Jeannette *(como una niña)*: Era lo único lindo que tenía. *(Están uno frente al otro, mudos, inmóviles.)*

Lucien *(sonríe)*: ¿No contaba con esto, joven? Sea justo. Ella se marchaba con usted para el gran amor y para siempre. Confiese que ahora o nunca era el momento de hacerse un pequeño tocado. Es una idea de hombre preguntar quién había comprado ese vestido... Además, por un sentimiento muy delicado, le haré notar que había dejado el velo. Ese velo que por un sentimiento no menos delicado, hemos insistido en traerle.

Jeannette *(suavemente)*: Te odio, Lucien.

Lucien: Sí. Desempeño un mal papel. Confieso que todo esto no es muy brillante. *(Los mira, mudos, desamparados los dos; se ríe burlón.)* ¡Pobres corderos! Me dan lástima. Queremos la verdad, nada más que la verdad, toda la verdad, y cuando nos hallamos en su presencia, callamos y tenemos ganas de llorar. Hay que estar bien curtido como yo para saludar a esa señora.

Frédéric *(pregunta de pronto)*: ¿Por qué me mintió?

Jeannette: Usted había visto que era nuevo, entonces comprendí que nunca podría decírselo.

Frédéric *(grita)*: ¿Décirme qué? ¿Que se lo había dado la víspera?

Jeannette: Sí.

Frédéric: ¿Pero a pesar de todo lo trajo?

Jeannette: Sí.

Frédéric: Yo no le ofrecía nada más que la fuga y la miseria, usted lo sabía. Me siguió sin nada, en seguida. Lo rompió todo, dejó todo como yo y el crimen que cometíamos sólo era posible porque lo abandonábamos todo los dos. Ah, quisiera arrancarle ese vestido, romperlo, cubrirlo de manchas... *(Da un paso hacia ella,* Jeannette *retrocede con un grito, estrechando su hermoso vestido contra sí.)*

Jeannette: ¡No! *(Este grito detiene a* Frédéric.*)*

Lucien *(suavemente)*: ¡Es feo estropear las cosas! Y además a la chica le gusta el vestido. No tanto como a usted por supuesto, pero mucho. Si se lo pide, ella va a elegir, se lo quitará. Pero hemos llorado meses enteros sobre los catálogos, hemos soñado tanto tiempo en ese vestido mientras usábamos las viejas camisetas agujereadas. Piense que quizá íbamos a casarnos con Azarías sólo por eso.

Frédéric *(grita)*: ¡No es cierto!

Lucien: ¡Sí, hombre! ¿De qué cree entonces que están hechas las mujeres? ¿De acero, de platino, de diamante? No saben mucho los del notariado. Están hechas de suspiros, de humo, de caprichos; la cosa tiene su parte buena, su parte mala y todo se mezcla, estalla entre las manos del químico o se combina, según. Toma de improviso formas eternas que dan ganas de morir en seguida, tan hermosas son, y un buen día es espantoso, un monstruo: se le escapa entre los dedos. Azarías es rico y la quiere, y ella lo abandona por usted esta noche, sin lamentar nada. Y no crea que iba a verlo por su dinero; mi hermana no es una puta. Iba a verlo porque le divertía; se va con usted porque le divierte más, pero se lleva el vestido. Eso es todo.

Frédéric: ¡Cállese!

Lucien: Habrá adelantado mucho cuando se vea obligado a decirse todo esto usted mismo. A mí me hace bien, déjeme.

Frédéric *(grita de pronto)*: Mentía, seguía mintiendo. Me mintió todo el tiempo. ¿Cuándo podré creerle ahora?

Lucien: ¡Mañana, hombre! ¡Dentro de un rato! ¡En seguida! No tiene más que marcharse con ella, no tiene más que entregarse a ella y mañana mismo le creerá. Es otra solución y tan sensata como sufrir.

Frédéric: No podré.

Lucien: Yo tampoco pude. Es la solución para los más fuertes o los más estúpidos.

Frédéric: ¡Quiero comprender!

Lucien: ¿Comprender qué? ¿Lo que ocurre en esos momentos en esos frágiles esqueletos? Nadie ha comprendido nunca. Ni siquiera ellas. ¡Y además, para qué! No debe de ser tan agradable. Qué quiere, hay que aceptarlo. Están también las enfermedades, la estupidez, la miseria, la guerra, la muerte. Somos chiquillos. *(Frédéric cae sentado, con la cabeza en las manos. Lucien se sienta a su lado.)* ¡Ah, bonito papel hacemos con nuestras historias de hombres! Bonito papel hacemos explicando que somos sabios, guerreros, poetas, que queremos vivir libres o morir, que tenemos ideales generales. ¡Bueno está eso! *(Un silencio entre ellos; añade.)* Hay que aferrarse a la madre, a Julia si se encuentra una, o sino a las mujeres de los libros... *(Muestra un cuadro, un gran grabado amarillento bajo el vidrio roto en un gran marco negro que cuelga torcido en la pared.)* ¡Mire a la mujer de Peto! Este pabellón nos ha servido mucho para sufrir en la familia. Cuando mi mujer me abandonó, vine muchas veces a esconderme aquí. Y un día, a fuerza de mirar la pared sin ver nada, descubrí este grabado que colgaba torcido en medio del panel. El vidrio está sucio y no se ve muy bien. Es la mujer de Peto, un condenado a muerte de Nerón. Acaba de tomar la espada de manos del centurión, y como Peto vacila, se hiere primero y tiende el arma a su marido con una buena sonrisa, diciéndole: toma, "non dolet". *(Frédéric lanza una ojeada y deja caer de nuevo la cabeza en las manos. Un silencio. Jeannette se vuelve hacia el grabado, lo mira. Pregunta.)*

Jeannette: ¿Qué quiere decir: "non dolet"?

Lucien: Quiere decir no duele. Es a gusto del Primer Imperio. No es muy linda la mujer de Peto, un poco abundante para exquisitos como nosotros. Pero con todo... *(Suspira, a medias soñador, a medias burlón.)* ¡Maldito Peto! *(Hay un silencio.)*

Jeannette *(dice de pronto suavemente)*: Frédéric, de todos modos quiero decirle algo. Yo fui quien abrió la puerta a la noche para que aquel hombre entrara y le dijese más menos todo lo que Lucien le ha dicho. Soy una mentirosa, es cierto, y no valgo mucho. Es cierto también, traje este vestido. *(Pequeña pausa; continúa con esfuerzo.)* Él se lo dijo: ¡Julia, su madre, y ahora las damas romanas también están contra mí! Todas las que han sido fuertes y puras... Bueno, pues yo también podía, y más que ellas. Después de todo, ¿qué le ha dado Julia? ¿Su pequeña sensatez o su miedo de comprometerse? ¿Y su madre? Lo acunó las noches en que usted no dormía. ¿Cree que yo no lo hubiera hecho también? ¿Cree que no hubiera velado si usted hubiese estado enfermo, que no lo hubiese llevado en mis brazos? ¡Lo hubiera llevado como diez madres, mil noches! Hubiera sido como una gallina que jamás picotea un grano para ella. Hubiera sido como una loba que se pone delante y lucha hasta que la matan. ¡Y ella tuvo otros diez, lo hizo diez veces de la misma manera porque aquello se le movia en el vientre, como se mueve en el vientre de todos los animales, un trocito de ella que había salido y se movía!

Lucien: Es cierto, las peores se convierten en madres. Tal vez algo se te mueva un día, de modo semejante, y estaremos obligados a venerarte.

Jeannette *(se vuelve, llameante)*: ¡No! ¡No quiero que me dé como a todas las madres y por cualquier niño! ¡No quiero ser doce veces sublime a pesar mío, doce veces abnegada hasta la muerte, doce veces única! No estoy llena de un instinto vago que necesita absolutamente un pequeño para sacarme el jugo. ¡A él lo quiero! A él quiero dedicarme y por él quiero morir. Y este amor no me volverá como la savia de los árboles cada vez que me crezca la cintura. ¡Es la primera vez y la última, estoy segura, hasta que la piel del vientre se me pegue a los huesos, que estoy dispuesta a dar mi sangre en seguida, y mi leche si me viniera!

Lucien *(se levanta, maligno)*: ¡Tu sangre y tu leche! Andas rápido. Sólo hace un día que lo conoces.

Jeannette: ¡No sabéis decir más que eso, todos! ¿Tengo yo la culpa si sólo hace un día?

Lucien: ¡Tu sangre y tu leche! Tienes palabras admirables si se las escucha cerrando los ojos. Afortunadamente basta mirarlas con sus párpados temblorosos y su pequeño rictus al borde de la crisis de nervios. Le han dado tu boca y el gusto de tu piel bajo su lengua. Eso es todo. No eres más que una mujer a quien ha tomado por una noche.

Jeannette: ¡No! ¡Soy su mujer!

Lucien: ¿Su mujer, tú? ¡No me hagas morir de risa! Míralo. Es duro, es franco, es sólido. Un verdadero soldado, bien francés. Está lleno de buenos sentimientos. ¿Su mujer, tú? Lo deseas, él te desea. ¡Buena suerte!... Hacedlo rápido. Pero no construyáis una catedral encima.

Jeannette: ¿Y si me hubiera convertido en una noche en todo lo que él ama? ¿Si de golpe ya no fuera ni la pereza, ni la mentira, ni el desorden? ¿Si me hubiera convertido en el coraje y el honor?

Lucien *(lanza una carcajada)*: ¡Todas iguales! ¡Todas iguales! Matan al papá y a la mamá una buena noche con sopa envenenada para seguir al jovencito, están dispuestas a robar por él, a venderse en las esquinas, a rebajarse todo lo que haga falta. ¡Pero si el querido ángel prefiere el pudor! ¡Es tan fácil! ¡También pueden, es la misma cosa! ¡Y sinceramente! Negarse y bajar los ojos y enrojecer cuando alguien dice una palabra atrevida delante de ellas, y ser sublimes. ¡Lo pueden todo! ¡Lo pueden todo mientras dura!

Jeannette: ¡Sí, lo puedo todo! ¡Sí, lo puedo todo!

Lucien: ¡Sólo que, lo que no pueden precisamente, es que dure!

Jeannette: ¡Mientes!

Lucien: ¡Lo que no pueden es que siga siendo cierto mañana! Son honradas al día. Es la modalidad de estas ricuras. Y la desgracia es que nosotros sólo necesitamos el mañana. Nos da lo mismo ese amor para hoy que nos ofrecen. No significa nada si mañana no es seguro. Por eso reventamos en la felicidad, al lado de ellas, insoportables, hasta que al fin nos abandonan un día, cansadas, dejándonos todos los agravios.

Jeannette: ¡El será feliz! ¡Él me creerá! ¡Tú no has podido creer a Denise, pero yo le daré tanto que me creerá!

Lucien: ¿Qué le darás? No tienes nada que dar. Mientras estáis no podéis dar más que vuestro cuerpo por un minuto y vuestros fugitivos estados de ánimo.

Jeannette: ¡No es cierto!

Lucien: Y él tampoco tiene nada que darte. Sois amantes. Habéis jugado la carta del amor. Ahora podéis bailar la danza hasta el final. Arrojaros al agua de desesperación, mataros el uno por el otro, cuidar leprosos, venderos. ¡Ficciones! ¡Espejismos! ¡Apariencias! No tenéis nada que dar... ¡Habéis elegido el amor, habéis elegido tomar siempre y pensar sólo en vosotros!

Jeannette: ¡No es cierto!

Lucien: ¡Sí! Habéis elegido el amor, estáis aquí para odiaros... Estáis para vengaros, no sabréis nunca de qué ofensa. Y no vale la pena golpearse el pecho, es la ley desde siempre, desde que hay hombres y mujeres y el amor los pega una mañana de a dos, como moscas.

Jeannette: ¡No!

Lucien: ¡Sí! Y podéis iros por el mundo en seguida los dos, de la mano, pero espiándoos como dos enemigos en el desierto. Y las gentes dirán: ¡linda pareja! ¡Cómo se quieren! ¡Linda pareja de asesinos, sí! ¡Con las uñas fuera y los dientes largos! ¡Es preciso que uno consiga el pellejo del otro, y cuanto antes mejor! ¡Eso es vuestro amor!

Jeannette *(cae sentada en el canapé al lado de* Frédéric*)*: ¡Ah, eres demasiado feo! ¡Eres demasiado feo!

Lucien *(se acerca y prosigue con más suavidad)*: ¿Qué te crees? ¿Filemón y Baucis de encargo? La ternura, la abnegación, la confianza, todo de un día para otro. Eso se paga día a día, nenita, con sudor, con tedio, con pequeñas miserias y miedo juntos. Se paga con hijos que tienen fiebre y no se sabe si morirán, con noches y noches juntos, que se escucha respirar al otro, con arrugas que aparecen al mismo tiempo.

Jeannette: ¡Tendré arrugas! Seré vieja. Dirán: ¡ahí van los dos viejos! Y cuando él muera, yo moriré al día siguiente.

Lucien *(un poco cansado, cae sentado junto a ellos también; refunfuña)*: Morir, morir... Morir no es nada. Empieza por vivir. Es menos gracioso y más largo.

Jeannette: Dices todo eso para impedirnos vivir.

Lucien *(extrañamente fatigado de pronto)*: No, para

impediros morir, idiota. Confundes todo. *(Hay un pequeño silencio. Están sentados los tres muy juiciosos, uno al lado del otro mirando hacia adelante.)*

Jeannette *(prosigue dulcemente, humildemente)*: Odias el amor. Pero las mujeres que has conocido no son todas. No las has conocido a todas. ¿Las hay que hayan amado con todas sus fuerzas y para siempre? ¿Hay una?... Si hay una, yo también podré.

Lucien: Nunca supe su dirección.

Jeannette: ¿La que tú explicabas, la del cuadro, ésa amó?

Lucien: ¿La mujer de Peto?

Jeannette: No sé. Sí. ¿Qué dijo al tomar el cuchillo antes que su marido para darle valor?

Lucien: Non dolet.

Jeannette *(repita)*: Non dolet. ¿Y eso no quería decir que lo amaba, non dolet?

Lucien: Sí. Sin duda.

Jeannette *(se pone de pie)*: Entonces, si no es más difícil que eso...

Lucien: ¿Dónde vas?

Jeannette: A quitarme este vestido. *(Desaparece en la escalera.)*

Lucien *(cuando están solos)*: Le he dicho todo lo que sabía. Lo he enterado de mis pequeñas experiencias. Ahora, amiguito, quizá, será mejor a pesar de todo que juzgue por usted mismo. *(Se oye arriba un ruido de vidrios rotos. Lucien alza la cabeza.)* ¿Qué hace ahora esa loca? ¿Rompe los vidrios? *(Un instante; luego Jeannette reaparece muy pálida en su vestido blanco; tiende a Frédéric su brazo herido del que brota la sangre por un ancho tajo.)*

Jeannette: Mire. No duele. Ya no sé cómo lo dicen en latín. *(Los dos hombres se ponen de pie. Hay un momento de estupor; luego Frédéric se arroja sobre ella y le envuelve el brazo con el pañuelo, la besa, balbucea.)*

Frédéric: Jeannette, amor mío... Perdón. Le creeré. ¡Le creeré siempre! *(Se besan. Lucien alza los brazos al cielo. Clama.)*

Lucien: ¡Bueno! ¡Si ahora se ponen a cortarse los brazos!, ¿que quieres que les respondamos? *(En ese momento se abre la puerta, el viento se precipita de nuevo en la habitación, la luz se apaga casi, el viejo cartero está en el umbral, bajo la lluvia, vacilante.)*

El cartero*(suavemente)*: ¡Niños, niños!

Lucien *(se le acerca, gritando)*: ¿Es para mí, cartero?

El cartero: No, pequeño. Tu padre me manda decirte que vayas al pueblo en seguida a avisar a Corniau. En tu casa están preocupados. Tu hermana ha bebido algo. Creen que se ha envenenado. *(Frédéric se separa de Jeannette. Lucien se vuelve hacia él.)*

Lucien: Vuelvan. Yo me voy en el coche de Azarías a buscar al médico. *(Frédéric no se mueve en seguida. Lucien se le acerca, lo toma del brazo.)* Vamos, rápido. Esta vez es verdadero veneno. *(Sale llevándose a Frédéric. El cartero los sigue dejando la puerta abierta de par en par. Hay un largo silencio. Jeannette se queda sola, sin moverse, en el viento que se precipita, muy pequeña en su vestido blanco, rodeada por sus brazos. De pronto vuelve la cabeza, mira afuera y murmura.)*

Jeannette: Puedes entrar ahora. *(Un hombre, una sombra, aparece en el umbral con su esclavina empapada. En el momento en que esta sombra avanza dentro de la habitación cae el*

TELÓN.*)*

Acto IV

El mismo decorado que en el primer acto. El final de la tarde, una semana después. Frédéric *está tendido en el canapé, la cabeza en los brazos. El padre camina y lo observa con aire hostil. Entra* Lucien. *El padre se le acerca.*

El padre: ¿El coche está ahí?

Lucien: Sí.

El padre: Bien. *(Lo lleva aparte.)* No te ocultaré que no me molesta verlos largarse. ¡Ocho días! Un muchacho recibido en casa y que no despega los labios desde hace ocho días. Yo soy de la vieja escuela: la cortesía primero. Aunque mi prometida estuviera agonizando, hombre de mundo ante todo, hubiese sostenido la conversación. Él, nada.

Lucien: Tú tienes una conversación que se sostiene sola.

El padre: Julia estuvo a punto de morir. ¡Sea! Desde ayer está salvada... Me dije: ahora va a hacer un esfuerzo. ¡Nada!

Lucien *(suavemente)*: Quizá él no se ha salvado.

El padre: Estoy encantado de que se marchen, no te lo oculto. Prefiero hablar decididamente solo. Por lo menos uno sabe adonde va. *(Se oye una música a lo lejos. Grita de pronto.)* ¡Haz callar esa música!

Lucien: Imposible.

El padre: Parezco tranquilo, pero tengo los nervios deshechos. *(Se acomoda tranquilamente en el sillón y enciende un cigarro. Lucien se acerca a* Frédéric.*)*

Lucien: No muy delicado, hay que reconocerlo, el detalle de la orquesta. Lo que usted no sabe quizá, es que lógicamente no deberíamos oírla, el castillo está demasiado lejos. La habrá mandado poner al final del parque para estar segura de que la oiríamos. Debe ser un casamiento muy hermoso. Hay cinco Citroën delante de la verja. El señor Azarías tiene relaciones.

El padre *(en su rincón)*: Ni siquiera una participación. *(Una pausa; pregunta con indiferencia.)* ¿Dónde crees que habrán encargado la comida?

Lucien: En lo de Biron.

El padre *(despreciativo)*: ¡Bah! Lo clásico. Albóndigas de pescado, costillas de cordero, pollo. ¡Como si lo comiera!

Lucien: ¿Entonces de qué te quejas?

El padre: Del gesto.

Lucien: Lo digerirás también.

El padre: ¡Nunca! Soy un buen tipo, pero un elefante. No perdono. No digo nada, me creen bonachón, y cincuenta años después ataco al guardián. *(Continúa.)* Quesos, bombas heladas, *gâteau* moka, champaña. Es un hombre que conoce una sola lista. Si se hubieran dignado consultarme, les hubiera dicho: vayan a lo de Thomas. Thomas es el único en este país que sabe dar de comer. Huevos Mimosa, langosta Thermidor, lomo relleno… ¡Sería magnífico!

Lucien: Para ti sería lo mismo.

El padre *(herido)*: Exacto. *(Una pausa; pregunta.)* ¿Crees que hubiera podido ponérmelo si me hubiesen invitado?

Lucien: ¿Qué?

El padre: El jaquet.

Lucien: Seguramente.

El padre: Hubiera sido hacerles mucho honor. Después de todo conocí al padre de ese Azarías.

Lucien: Ahora él conoce a tu hija. Estáis a mano.

El padre: Lo tomas todo en broma. A mí se me ha grabado aquí. *(Se toca la frente; la música es más fuerte; se levanta y grita.)* ¡Haz callar esa música!

Lucien: Hazla callar tú.

El padre: ¡Les alegraría demasiado! Pueden tocar ocho días, haré oídos sordos durante ocho días. Los músicos se cansarán antes que yo. ¿Cuánto crees que les costará semejante orquesta por un día? Son seis por lo menos. Pon unos cien francos por cabeza, ¿y ves a dónde los lleva la bromita? *(Sale al jardín.)*

Lucien *(vuelve hacia* Frédéric*)*: Ella quería que oyéramos su casamiento, que Julia lo oyera en su cama y la suegra en la cocina y todo el pueblo. No le bastaron las campanas esta mañana. Puso rascatripas en los bosquecillos. Los odiará a todos, allá, pero la estoy viendo en medio de la fiesta. Hasta la mañana hará bailar a sus invitados. Los hartará en nuestro honor.

Frédéric: Julia va a levantarse. Dentro de una hora nos marcharemos.

Lucien: Trataremos de hacérselo saber. Tal vez consigamos así un poco de calma. Me imagino que esas ondas de armonía le están especialmente destinadas a usted.

Frédéric: Quizá.

Lucien: Quiere estar bien segura de que usted sufrirá al mismo tiempo que ella. Lo adora esa chica. ¿Vio con qué gentileza se cortó el brazo? Ya no sé cómo lo dicen en latín. ¡Hizo para nosotros una entrada admirable!

Frédéric: ¿Entonces, por qué? ¿Por qué, en seguida?

Lucien: ¡Es usted incorregible, amiguito! Quiere saberlo todo. Hay que perder esa mala costumbre. Nadie sabrá nunca por qué. Ni siquiera ella. *(Frédéric deja caer de nuevo la cabeza sobre los almohadones.)* ¿Duele, verdad, al principio? Uno cree que no podrá soportar esa llaga ni un minuto. Habría que gritar, romper algo. ¿Pero romper qué? A ellas no, no se puede. ¿Los muebles? Es grotesco. Cuando uno comprende que no hay nada que romper es cuando uno empieza a convertirse en un hombre. *(Una pausa; va a sentarse al lado de Frédéric.)* Se vive muy bien con un dolor, ya verá, una vez que se lo conoce. Se le descubren sutilezas, repliegues. Uno se convierte en especialista. Sabe lo que hay que darle de comer, cada día, y qué es lo que podría enfermarlo. Sabe qué soplo lo despierta y qué música lo adormece. Y más tarde, mucho más tarde, cuando uno sale por fin de la soledad, cuando puede hablar a los otros de él, empieza a hacerlo visitar como un guardián de museo. Uno se convierte en el pequeño funcionario con gorra de su dolor. Entonces reventamos a pesar de todo, pero más suavemente. *(Frédéric se levanta como para escapar de Lucien; va a mirar por la ventana.)* ¡No se dé tanta prisa por sufrir! Tiene toda la vida por delante. Lo admirable del cornudo es que tiene todo el tiempo por delante. No hablo de esos estúpidos que hacen una carnicería a la primera sospecha y en seguida se saltan la tapa de los sesos... Hablo de los cornudos artistas, de los buenos obreros cornudos. De los que gustan de la obra bien hecha, según las reglas, como es debido. *(La música arrecia.)*

El padre *(aparece en el umbral de la puerta-ventana)*: ¡Es divertido! Han puesto cobres. No vamos a pegar los ojos esta noche.

Lucien *(perentorio)*: ¡De todas maneras, papá, no los hubiéramos pegado! *(El padre vuelve a marcharse. Lucien se acerca a* Frédéric, *súbitamente áspero.)* El ojo de la noche... Curiosa expresión, ¿no es cierto? Uno se lo imagina bien negro, bien abierto, llenando toda la habitación y mirándonos. Y no conseguimos pegarlo. Es inútil arquearse con todas las fuerzas, aferrarse a los bordes del enorme párpado; el ojo de la noche está siempre allí, abierto, contemplándonos, sin pensamientos, sin fondo, imbécil, un verdadero ojo humano. ¿Usted duerme?

Frédéric *(se encoge de hombros)*: Sí.

Lucien *(le grita)*: ¡No dormirá más!

Frédéric *(se vuelve de pronto)*: ¡Adónde quiere llegar, al fin! ¿Qué desea de mí?

Lucien *(suavemente)*: Mirarlo. Mirarlo sufrir. Me hace bien.

Frédéric: Mire. ¿Es agradable un hombre que sufre?

Lucien: No. Es horrible, es obsceno. Pero cuando es uno mismo en un espejo es peor todavía. Porque yo me miraba en los espejos noches enteras, con mi rictus de ahogado, con mis ojos de idiota. Miraba temblar mi mentón, esperaba como un cazador al acecho, horas enteras, a ver si se echaría a llorar esa cara para bofetadas, esa cara de cornudo. ¡Está bien que sea otro, al fin!

Frédéric: Míreme pronto. Yo no me contemplaré mucho tiempo en los espejos. Soy un hombre, y mañana, bien o mal, viviré.

Lucien *(se ríe burlón)*: ¡Buen muchacho!

Frédéric: Iré a trabajar. Me casaré con Julia. Tengo toda una casa que pintar, todo un jardín que roturar, y leña que aserrar, para el invierno.

Lucien *(retribuyendo una confidencia con otra)*: Yo me había puesto a hacer gimnasia. Sí, se me ocurrió esa idea. Todo ha sucedido porque estás flaco y no te mantienes erguido. Todo es falta de músculos. Esos nobles músculos en el pecho y en los brazos propios de los verdaderos hombres. Donde no hay músculos, no hay mujeres. ¡Todo resultaba fácil, al fin! Salí entonces a la conquista de músculos. Compré un libro de doce francos. El secreto se vendía por nada. Y todas las mañanas, delante de la ventana abierta, en calzoncillos, más cornudo que nunca, me puse a hacer gimnasia sueca. *(Empieza a hacer gimnasia.)* ¡Uno, dos, tres, cuatro! Uno, dos... *(Se detiene de pronto, agotado ya.)* Imagínese que son unos mentirosos, tardan en llegar esos músculos. Y además, mirando un poco más atentamente la cara del profesor en la tapa, usted termina por darse cuenta de que a pesar de su cuerpo de atleta, él también debía de ser cornudo. ¡Un consejo! Empiece en seguida por el vino tinto. Se obtiene mucho más rápido mejor resultado. *(Se sirve, bebe y convida a* Frédéric.*)* ¿Le sirvo?

Frédéric: No.

Lucien: ¡Como guste! Pero los cornudos de digno estilo tienen un solo privilegio: sufrir dos veces más. Y, además, ¿qué sentido tiene un cornudo digno? ¿Hay cancerosos nobles, apestados elegantes? Hay que retorcerse con el cólico, escupir buenamente la baba o los pulmones, gritar cuando duela demasiado, quejarse, fastidiar a todo el mundo. ¡Hay que ser un cornudo bien vil, bien cobarde, bien malo a la cara de Dios para enseñarle! ¿Sabe qué hice yo el primer día? Me dejé caer de la silla, repentinamente, durante la comida, y me quedé en el suelo para hacerles creer que estaba muerto. Por nada. Para que tuvieran miedo, para que sucediera algo. Me mojaban las sienes con vinagre; intentaban aflojarme los dientes con cucharitas, a mí que los oía afanarse y en el fondo de mí mismo respiraba bien tranquilo; no estaba muerto, pero era cornudo. Y hubiera querido hacer más todavía. Quitarme los pantalones, orinar en la pared, pasarme carbón por la cara, pasear con una gran nariz de cartón por las calles para que dijeran: "¿Qué hace ese joven con esa nariz de cartón?" No hace nada, es cornudo. ¡Es una nariz de cornudo!

Frédéric: ¡Cállese!

Lucien: ¿Le molesto? ¿El señor quiere sufrir a sus anchas, sufrir noblemente? ¿El señor quiere hacer de cornudo a solas? ¿Los cornudos feos, los cornudos bajos, no son su mundo? ¿El señor es un cornudo especial? Sin embargo somos hermanos, señor, hemos bebido de la misma copa y ya que nadie nos besa, tenemos que besarnos nosotros. *(Quiere besarlo, en broma;* Frédéric *lo rechaza.)*

Frédéric: ¡Suélteme! Está usted borracho. Apesta a vino.

Lucien: Tal vez apeste a vino, ¿pero borracho a las cinco? ¡Buen jovencito! Como los pequeños músculos, es algo que tarda mucho en aparecer. Todo tarda. No, no estaré borracho hasta la noche, cuando precisamente ya no diga nada, cuando me vuelva decente. *(Declama de pronto.)* ¡El conde se encerraba solo todas las noches en la biblioteca, y la condesa, a horas avanzadas, lo oía subir la escalera titubeando!... Cuando estoy sobrio, joven, es cuando titubeo. Me embriago para poder subir a las habitaciones de la condesa todas las noches sin titubear. *(Una pequeña pausa. Añade.)*

Pero todas las noches me aguarda arriba una pequeña decepción en lugar de la condesa.

Frédéric *(después de una pausa)*: No volveré a comerme mi dolor, como el perro su vómito; que sangre de una buena vez, eso será todo. El mundo infantil al que ustedes me arrastraron no es el mío. Ni mi padre ni mi madre, ni ninguno de los de mi pueblo tuvieron nunca tiempo para conceder tanta atención a su dolor, y sus hijos se morían de enfermedades desconocidas, y sus mujeres los abandonaban también. Pero ellos tenían otra cosa que hacer para escuchar esa queja interior.

Lucien: ¡Felices trabajos del campo!

La madre *(entra)*: Julia se ha levantado. El viaje la fatigará un poco, pero a pesar de todo prefiere marcharse esta noche. Piensa como yo, su única idea es abandonar este lugar lo antes posible.

Lucien: ¡Sin embargo es lindo en la buena estación!

La madre *(a* Frédéric, *sin prestar atención a* Lucien*)*: ¿Estás listo?

Frédéric: Sí, mamá.

La madre. Te llamaré para que ayudes a bajar a Julia. Voy a prepararle un poco de café. *(Pasa a la cocina.)*

El padre *(que ha vuelto, la mira salir y comprueba)*:

Desde que ha ordenado los aparadores, me trata con frialdad. No sé qué ha podido encontrar.

Lucien *(suavemente, a Frédéric, como si continuara una conversación)*: Y una vez organizados los días, si es usted fuerte *(y me lo parece, lo conseguirá tal vez)*, le quedarán las noches. Las noches en que el cornudo dormido revive escrupulosamente su martirio. Aunque la recuperara, aunque ahora me fuese fiel, si llegara a olvidar de día, sería cornudo hasta el fin de mis noches. *(Pequeña pausa; añade.)* Sin embargo es mi única posibilidad de no ser más que un cornudo a medias. Por eso no he dejado de esperarla.

Frédéric: ¿Desde hace cuánto tiempo?

Lucien: Dos años. ¡Y salió para comprarse medias! Empiezo a inquietarme, sin embargo...

Frédéric: La olvidará.

Lucien: No, colega. Otra ilusión que hay que perder. Tal vez uno encuentre otra, pero no olvida. *(Se levanta.)* Además los cornudos siempre tienen tendencia a mostrarse más patéticos de lo que son. Ahora no la espero exactamente a ella, espero una carta. Una carta de la Costa de Marfil con un hermoso sello verde. Me han dicho que allí es donde son más negros, más estúpidos. Voy a estar bien con los negros.

El padre *(se levanta, se acerca a ellos)*: Os oigo hablar. ¡No os comprendo, hijos míos! Estáis ahí entre luchas y torturas. A mí la vida y el amor siempre me han parecido mucho más sencillos. Y no vayáis a creer que no estuve enamorado. A los veinte años tenía tres amantes. Una colega de contaduría, una rubia embriagadora a quien tenía dominada, la criadita del restaurante donde tenía pensión y una muchacha de una de las mejores familias de la ciudad. Una muchacha a quien conseguí virgen, querido, y que me recibía por la noche en su casa, a dos pasos del cuarto de sus padres. J. P... Disculpad si sólo doy las iniciales. Una mujer que después se casó con un alto funcionario del distrito.

Lucien: La conocí, era jorobada.

El padre *(ofendido)*: Apenas. Una ligera deformación que nada quitaba a su encanto.

Lucien: ¡Era fea!

El padre *(asiente)*: Tenía la nariz fuerte. ¡Pero ojos muy hermosos! *(Se acerca.)* ¡Y además, querido, estamos entre hombres, qué diablos! Yo también he sido un mocetón: la joroba, la nariz, una vez en la cama... *(Hace un gesto vil.)* ¡Tampoco hay que ser romántico! El amor es un buen momento. Cuando se consigue placer... *(Hace otro gesto, éste noble.)* ¡Atención! Galantería, cortesía exquisita. Siempre he respetado a la mujer. Pero nada más. No por eso hubiera renunciado al billar y a los camaradas. ¡Me las arreglé para no sufrir nunca! Además tenía un principio. Era el primero en largarme. ¡Nunca más de tres meses! Llegado el término, era implacable. Las he visto llorando como magdalenas, persiguiéndome desnudas por la calle. Súplicas, amenazas, no oía nada, no veía nada. Una vez una morena fuerte, una costurera de Cahors –una Juno, querido, senos así–, yo estaba en el umbral, ella salta a la cocina, toma la botella de agua de Javel. "Si das un paso, bebo". Salí.

Lucien: ¿Y la bebió?

El padre: Estoy convencido. La encontré tres semanas después, me pareció que había adelgazado mucho. ¡Pero suficiente! ¡Todo se arregla! Se casó con un gendarme. Ahora tiene un hijo peluquero. ¿Qué creéis que es la vida? Lo esencial es no dejarse engañar nunca por nada.

Lucien: ¿Y si uno sufre?

El padre *(exclama, sincero)*: ¡Pero no se sufre! ¡Ahí es donde no sigo!

La madre *(aparece con una taza en la mano)*: Listo. Le subo el café y nos marchamos.

El padre. La echaremos mucho de menos, señora.

La madre. La yegua trota bien. Charles asegura que estaremos allá para la cena. Sólo tardó tres horas para venir. Trajo una manta, temo que Julia sienta frío a la noche. Llevaré otra y se la enviaré de vuelta.

El padre *(en gran señor)*: ¡Señora, está usted en su casa!

La madre: El casamiento se efectuará en la fecha prevista, pero Julia piensa como yo que, después de lo que ha pasado, será preferible no invitar a nadie.

El padre *(hace un gesto)*: La familia...

La madre: Julia prefiere que no estén presentes ninguno de los dos.

El padre *(que no se atreve a comprender)*: ¿Qué dos?

La madre: El hermano y usted.

El padre *(desconcertado)*: Sin embargo, señora, un padre...

La madre: El tío de Frédéric la conducirá al altar. Julia quiere tener una sola familia ahora.

El padre *(que ha abdicado todo orgullo)*: Justamente me había mandado hacer un jaquet... *(La madre no responde nada.* Lucien *grita de pronto al padre.)*

Lucien: ¡Papá! ¡Si me caso con una negra, allá, te invitaré! Será magnífico, ya verás. ¡Todo el mundo irá desnudo, todo el mundo será negro, todo el mundo apestará! Y tú, el único de jaquet, sudando en medio del cortejo, con mi rubia dulcinea del brazo. ¡Nosotros también seremos dignos, nosotros también estaremos en familia, papá, sólo con negros!

El padre *(hace un gesto shakespeariano para salir)*: ¡Ya no tengo hijos!

Lucien: ¿Adónde vas?

El padre: A lo de Prosper. Préstame veinte francos.

Lucien: ¡Te doy cincuenta, querido rey Lear! ¡Emborráchate! Bien lo vale. *(La madre los mira salir, se encoge de hombros y sube al cuarto de Julia. Frédéric se ha quedado solo. De pronto Jeannette aparece en el umbral vestida de blanco. Permanece inmóvil un instante mirándolo; cuando Frédéric la ve y se levanta, dice suavemente.)*

Jeannette: Sí, me casé de blanco para hacer rabiar a todo el pueblo. Y además había que utilizar el vestido. *(Un instante de silencio, él no responde nada;* Jeannette, *pregunta.)* ¿Siempre se casan el mes próximo?

Frédéric: Sí.

Jeannette: Yo ya lo hice. *(Un silencio.)* Es bueno cuando las cosas están hechas, cuando ya no hay que preguntarse o volver atrás. Por eso he vuelto a decirle adiós

Frédéric: ¡Váyase!

Jeannette *(suavemente)*: Sí. No lo diga con tanta dureza. Ya me he marchado de una vez por todas. Le hablo desde el confín del mundo en este momento.

Este encuentro es un pequeño minuto suplementario como lo otorga el destino a veces, cuando los dados están en el tapete. Nuestros dos trenes han tomado velocidad, se cruzan y cada uno sigue más rápido en la otra dirección. Nos dedicamos una última sonrisita por la portezuela. *(Una pausa; comprueba.)* Ni siquiera una sonrisa.

Frédéric: No.

Jeannette: Qué grave es usted. ¿Así que no sabe jugar con la vida?

Frédéric: No.

Jeannette: Yo también sufro, pero juego. Estoy muy alegre allá, los hago beber, los hago bailar. Los invitados de mi marido no terminan con los elogios. Él es el único que lo sabe todo por anticipado y tiene miedo.

Frédéric: ¿Miedo de qué?

Jeannette: Es como un hombre que ha ganado la lotería y no está muy seguro de su suerte.

Frédéric: ¿Lo hará sufrir también?

Jeannette: Ya lo hice.

Frédéric: ¿Le divierte eso?

Jeannette: Me da lo mismo, no lo conozco.

Frédéric: Y esta mañana usted dijo a la cara de todos que era su mujer.

Jeannette: Es lo que creyeron oír, pero yo no dije nada semejante. Esta mañana al cura y al otro con su banda no les dije que tomaba a ese hombre para lo bueno y para lo malo y por siempre; dije que lo rechazaba a usted para la vida y para la muerte. Sí, es extraño. El sacerdote gritó en la iglesia: "Señorita Jeannette Maurin, ¿consiente usted en no tomar nunca por esposo al señor Frédéric Larivière?" Y nadie se volvió, nadie encontró insólita esta frase, ni que gritaran así su nombre en el casamiento de otro. En la alcaldía tampoco se espantó nadie de que fuera necesaria toda esa mascarada: el señor gordo de banda tricolor, los sillones de distribución de premios y ese novio enjaezado como un buey para el sacrificio, sólo para decirme que a usted nunca le debería obediencia, ¡que nunca me vería obligada a seguirlo a todas partes!

Frédéric: Lo que los otros oyeron es cierto. Está ligada para siempre a otro hombre.

Jeannette: No. Me he separado para siempre de usted. Y es un sacramento solemne que la Iglesia debería haber previsto también, junto con los otros: el sacramento del abandono. *(Un silencio; se miran, de pie uno frente al otro; ella murmura.)* ¡Qué lejos está usted!

Frédéric: Sí. Durante estos ocho días, subí la pendiente de mi dolor metro por metro y me caía siempre en el agujero. Ahora estoy arriba. Sudoroso y con las uñas sangrando. Y trataré de no volver a caer.

Jeannette: Es lejos arriba.

Frédéric: Es muy cerca pero lejos, sí.

Jeannette: Vine también para pedirle perdón por la pena que pude causarle.

Frédéric *(hace un gesto)*: No es nada.

Jeannette: ¿Volvió al pabellón por la noche?

Frédéric: Sí. En cuanto el médico pudo responder por la vida de Julia.

Jeannette: ¿Y me esperó?

Frédéric: Hasta la mañana.

Jeannette *(después de una pequeña pausa)*: Debí dejarle una carta, quizá.

Frédéric: Quizá. *(Una pausa; pregunta.)* Cuando salí con su hermano, había un hombre detrás de la puerta. ¿Era él?

Jeannette: Sí.

Frédéric: ¿Y entró en cuanto nos fuimos?

Jeannette: Lo llamé yo.

Frédéric: ¿Por qué?

Jeannette: Para decirle que si él quería, iba a ser su mujer.

Frédéric: Y la cosa quedó convenida de inmediato.

Jeannette: Sí. Hasta trampeamos un poco con las amonestaciones. En los lugares chicos, las cosas se arreglan. Yo deseaba que usted estuviera todavía el día de mi boda.

Frédéric: Todo ha salido muy bien. Pero nos marchamos en seguida. *(Una pequeña pausa.)* Sólo me falta desearle que sea feliz.

Jeannette *(suavemente)*: Usted quiere reírse.

Frédéric: Me gustaría. Debe de ser bueno reírse.

Jeannette: Así dicen.

Frédéric *(grita de pronto)*: Pero reiré. Mañana o dentro de un año, o dentro de diez años, le juro que reiré. Los niños, cuando empiecen a hablar, dirán seguramente algo gracioso, o el perrito que hayamos comprado para divertirlos se asustará de una sombra en el patio, o por nada, porque de pronto hará calor un día con el sol sobre el mar, y reiré.

Jeannette: Sí, reirá.

Frédéric: Todavía sufro y no hay nada seguro. Pero vendrá una mañana nuevecita, una mañana sin recuerdos; me levantaré con el día y las cosas habrán recuperado su lugar. Encontraré, al surgir de un mal sueño, la casa recién pintada al final de la calle, mi mesa negra junto a la ventana en el estudio, las horas lentas con la sombra de la iglesia que se alarga sobre la plaza y la sonrisa de Julia, como un agua serena, a la noche. Llegará un día en que seré fuerte como antes. Un día en que los seres y las cosas ya no serán eterna pregunta sino certeza, respuesta.

Jeannette: Sí, querido.

Frédéric: ¡Ah, he planteado demasiadas preguntas estos ocho días! ¡Que las cosas hablen de sí mismas ahora! Que las piedras calientes digan: "Mira, es el verano, estamos calientes". La tarde que viene despacito al banco delante de la puerta: "Soy la tarde llena de gritos de pájaros, tranquilízate". Y la calma de la noche después: "No pienses más, soy la calma". ¡No quiero preguntar nunca nada más!

Jeannette (*suavemente después de un silencio*): A usted le gustan tantas cosas en esta tierra. Le responderá un día u otro. Tenga un poco de paciencia. Pero yo odio la tarde, odio la calma, odio el verano. No esperaré nada.

Frédéric (*pregunta de pronto sin moverse*): ¿Por qué no la encontré la noche que volví? *(Jeannette hace un pequeño gesto cansado sin responder.)* ¡Había envuelto su herida con mi pañuelo! La tomé en mis brazos. Le dije: "Le creeré siempre". Usted me dijo que me quería.

Jeannette *(con su vocecita, después de una pausa)*: No debió dejarme sola.

Frédéric: Julia iba a morir quizá.

Jeannette: Sí. Y era muy razonable, y muy bueno ir en seguida, pero era precisamente ese instante de la vida en que las cosas razonables y buenas ya no son absolutamente justas.

Frédéric: Ella acababa de envenenarse por nosotros.

Jeannette: Sí. Un poco antes quizá, o un poco después tal vez hubiera pensado yo también: "¡Pobre Julia!" Y lo hubiera esperado pacientemente toda la noche, feliz de saberlo tranquilizado a la mañana. Pero no tuvimos suerte, era el instante justo en que no debía dejarme.

Frédéric: ¿Por qué?

Jeannette *(con una sonrisita triste)*: Siempre pregunta por qué. ¿Cree que yo lo sé? Sólo sé que era ese instante en que yo estaba como un pájaro en la rama alta, dispuesta a volar o hacer mi nido.

Frédéric: ¿Pero usted me quería?

Jeannette: Sí, lo quería, como lo quiero aún.

Frédéric: ¿Y bastó que aquel hombre entrara?

Jeannette: No, pobre. Usted le concede mucho prestigio... A ese hombre lo llamé yo. Cuando entró, ya había acabado.

Frédéric: ¿Qué es lo que había acabado?

Jeannette: Sé el preciso instante en que aquello acabó. Usted ni siquiera había salido de la habitación. Acabó cuando usted aflojó sus brazos que me estrechaban.

Frédéric: ¿Qué es lo que acabó?

Jeannette *(con los ojos cerrados)*: Vuelve a empezar como el primer día. Vuelve a empezar como un juez.

Frédéric *(la toma de la muñeca)*: ¿Qué es lo que acabó? Quiero saberlo.

Jeannette *(suavemente)*: No porque me lastime encontraré mejor las palabras. Es el brazo herido, suélteme, por favor. *(Él la suelta.)* Le explico lo mejor que puedo, pero para mí también es difícil. Lo que acabó, si usted lo quiere, es la certeza que había en mí de ser más fuerte que su madre, más fuerte que Julia y que todas las damas romanas, de merecerlo más que cualquiera. Acababa de atravesar el vidrio con el brazo, veía correr mi sangre por usted y estaba orgullosa. Usted hubiera podido decirme que saltara por la ventana, que me metiera en el fuego: lo habría hecho. Podía ser siempre pobre con usted, podía ser siempre fiel. La única cosa que no podía, era dejar de sentir sus manos sobre mí.

Frédéric: ¿Por qué no gritó nada? ¿Por qué me dejó salir?

Jeannette: Era ya demasiado tarde. En el momento justo en que su mano se separó de mí dejé de ser la más fuerte. Fue como un gran agujero donde yo caía. Ya no podía nada más. Usted aún no me había soltado del todo, aún no había dado un paso para salir y yo ya me había convertido en la más débil, en la menos segura, en la mujer menos hecha para usted. Aunque lo quisiera, ya no podía llamarlo.

Frédéric: ¿Pensó que yo volvería?

Jeannette: Sí. Pero esperarlo hubiera sido lo inmoral. Ya no tenía nada verdadero que darle. No podía ser su amante a pesar de todo y mentirle después como a los otros. Muerta o viva, Julia hubiera sido de inmediato más fuerte que yo en el fondo de usted mismo. ¡Una vez obtenido el placer, y eso se obtiene en seguida, buenos hubiéramos estado los dos!

Frédéric: Usted podía huir, entonces, sin llamar a ese hombre.

Jeannette *(pregunta)*: ¿Sola?

Frédéric: Sí.

Jeannette: No sé quedarme sola. Y además estaba segura de que Julia no se moriría y de que usted acabaría por casarse con ella. Quería casarme en seguida, primero.

Frédéric: ¿Por qué?

Jeannette: Para hacerlo sufrir.

Frédéric *(después de una pausa)*: Sufro. ¿Está satisfecha?

Jeannette: No. Cada vez que usted sufre, sufro con usted. Cada herida que le hago, me la hago yo también en el mismo lugar. Y si muere de esa herida, de ella moriré al mismo tiempo. *(Un silencio.)*

Frédéric *(exclama de pronto)*: ¡Ah, si pudiera no haberla conocido nunca! El mundo tenía una forma antes, buena o mala. Las cosas a mi alrededor tenían un lugar y un nombre y todo era sencillo. Ahora la escucho, no puedo pensar nada como usted, pero por pueril y falsa que sea su pena, no puedo soportarla.

Jeannette *(murmura)*: Pesa, sí, la pena del otro.

Frédéric: ¿Qué puedo hacer para no verle esa mirada perdida? ¿Qué puedo hacer para tener el derecho de respirar y de vivir mañana sin esa mirada de reproche, en el fondo de mí mismo? Aunque no me parezca muy justo ni muy razonable, lo haré.

Jeannette *(suavemente)*: No hay nada que hacer.

Frédéric: Quiero creerla y comprenderla con todas mis fuerzas, pero dé usted un pasito también. Nuestra posibilidad de vida no podía depender sólo de ese instante en que aflojé mis brazos. ¡Es infantil!

Jeannette *(sonríe)*: Somos tan diferentes, querido. Era realmente una posibilidad muy pequeña para una sola pequeña vez.

Frédéric *(grita de nuevo)*: ¡Ah, su sonrisa es demasiado triste! No le pido que sea razonable como yo, le pido tan sólo que no se encierre en ese pequeño reino negro donde nadie puede alcanzarla. Me siento torpe con mis manazas de hombre, y siento que su secreto se me desliza como el agua entre los dedos. Pero quizá pueda aprender, después de todo, aunque no comprenda muy bien. Hay juegos o lenguas que los imbéciles aprenden así, sin haber comprendido nunca sus reglas. Aprenderé.

Jeannette *(sonríe)*: No.

Frédéric: Soy fuerte, soy paciente, soy humilde. Usted no será el único ser en el mundo a quien no pueda ayudar. Quiero que no cuente todo lo que constituye mi fuerza y mi razón de ser.

Jeannette *(muy suavemente, después de una pausa)*: ¿Cree que aceptaría ahora llevarlo pegado a mi falda con su rostro tranquilo o deshecho, siguiendo mis caprichos, y todos mis feos defectos maullando a mi alrededor como gatos? Ya no soy el soldadito que se cortó el brazo la otra noche. ¿Cree que aceptaría engañarlo un día como a los demás, sin motivo, y que usted me perdonara por parecer demasiado desgraciada, hasta que volviese a empezar? Prefiero morir. *(Otro silencio; están de pie uno delante del otro, inmóviles; ella prosigue, más grave.)* Además había venido a decirle esto. La noche en que le prometí casarme con él, fui otra vez de ese hombre. Soy débil y cobarde de nuevo, como antes. He vuelto a ser la mentira, el desorden, la pereza. ¡He vuelto a ser todo lo que a usted no le gustaba y ya no puedo ser su mujer nunca! *(Se detiene y agrega con su vocecita.)* Pero si quiere, para que de todos modos esto haya durado siempre, lo que puedo esta noche es morir con usted. *(Un silencio; luego* Frédéric, *duramente, sin mirarla, responde.)*

Frédéric: No. Es demasiado cobarde, hay que vivir.

Jeannette *(dulcemente)*: Con las manchas y las tachaduras, hasta ser muy viejos y feos, y reventar al fin en la cama, sudando y debatiéndose como bestias. El mar es tan limpio con sus grandes olas que lo lavan todo.

Frédéric: No. *(Un silencio; añade.)* El mar no es limpio con sus millares de cadáveres. La muerte tampoco. No resuelve nada. Escamotea, errando el golpe, olvidando tras sí esa gran caricatura que deforma y hiede, esa enorme cosa vergonzosa que de pronto no se sabe dónde esconder. Sólo los niños, sólo los que nunca han velado cadáveres, la adornan todavía con flores y creen que debemos morir a la primera arruga o a la primera pena. Debemos envejecer. Debemos salir un día de nuestro mundo de niños y aceptar que todo no sea tan hermoso como cuando éramos pequeños.

Jeannette: No quiero ser grande. No quiero aprender a decir que sí. Todo es demasiado feo.

Frédéric: Quizá. Pero ese horror y todos esos gestos para nada, esa aventura grotesca es la nuestra. Hay que vivirla. La muerte también es absurda. *(La orquesta vuelve a empezar a lo lejos.* Jeannette *dice suavemente.)*

Jeannette: Entonces vuelvo para bailar. Estarán esperándolo allá. *(Le grita de pronto.)* Discúlpeme por haber venido. *(Y desaparece corriendo en el jardín.* Julia *aparece inmediatamente, seguida por* La madre. Frédéric *no se ha movido.)*

Julia: ¿Estás listo, Frédéric?

Frédéric *(la ve, responde después de una pausa imperceptible)***:** Sí.

Julia: ¿Crees que podemos marcharnos?

Frédéric: Ven. *(Va a ayudarla a bajar.)* ¿No temes tener frío en el coche?

La madre: Tengo otra manta para ella.

Frédéric: No pasaremos por Baux. Cortaremos por el Pantano. El camino fue reconstruido este invierno. Estaremos en casa antes de la noche.

La madre: Su padre y su hermano hubieran podido estar presentes para despedirla, hijita. ¿Sabe dónde están? En la taberna.

Julia: Mejor. Prefiero no volver a verlos. *(Van a cruzar la escena hablando. Frédéric se detiene en el umbral y mira por última vez la habitación haciéndose a un lado para que pase* Julia; *dice maquinalmente.)*

Frédéric: Paso. ¿No olvidas nada aquí?

Julia *(deteniéndose, le pregunta de pronto)*: ¿Y tú?

Frédéric *(sencillamente, mirando a lo lejos.)*: No traje nada cuando vine. *(Salen.* Lucien *surge como un diablo de la cocina y les grita como un loco, haciéndoles ridículos gestos de adiós encaramado en el canapé delante de la ventana y arrojándoles flores.)*

Lucien: ¡Viva la novia! ¡Muchas felicidades! ¡Viva la novia!

El padre *(entra como una tromba)*: ¿La has visto?

Lucien: ¿A quién?

El padre: A Jeannette.

Lucien: ¿Dónde?

El padre: Allá. En la playa. *(Lo obliga a volverse;* Lucien *mira y no dice nada.* El padre, *que mira.)* ¿Qué quiere?

Lucien *(suavemente)*: Tomar un baño.

El padre: ¿Con el vestido?

Lucien: Con el vestido.

El padre: ¡Pero hay creciente!

Lucien: No hay creciente.

El padre: No se da cuenta que allá el agua la va a derribar.

Lucien: Conoce la bahía mejor que tú.

El padre *(grita)*: ¡Eh! ¡Jeannette! ¡Eh! ¡Jeannette! ¡Dios Santo!

Lucien *(suavemente)*: Ella corre. No te oye con el viento. Y además aunque te oyera no te oiría. Está perdida, papá, está perdida la hermanita.

El padre: ¿Qué estás diciendo? Tú crees que...

Lucien: Estoy seguro.

El padre *(corre en seguida)*: ¡Maldita sea! ¡Hay que hacer algo! ¡Es absolutamente necesario hacer algo! ¡Ven! Trae unas sogas. Vamos a pedir socorro al castillo.

Lucien *(lo detiene)*: No.

El padre: ¿Cómo no?

Lucien: Te digo que no hay que hacer nada. ¡Déjala! En primer lugar, es demasiado tarde; y además le haces un favor.

El padre *(se suelta)*: ¡Eres un monstruo! ¡Voy allá por el bosquecillo!

Lucien: Anda. Harás ejercicio y no será tan feo de ver como desde aquí. *(El padre sale y vuelve en seguida gritando.)*

El padre: ¡Hurra! ¡Hurra! ¡Es Frédéric! ¡La vio desde el camino, saltó del coche! ¡Vamos! ¡Eso es un hombre! Va a la playa por el puentecito. Corta por la laguna, el agua le llega a las rodillas. No pasará.

Lucien *(se acerca y dice despacito)*: Pasará.

El padre: ¡Pasa! ¡Ha pasado! ¡Valor! ¡Adelante! ¡Adelante! ¡Adelante! Bravo, muchacho. ¡Qué deportivo! ¡Adelante! ¡Adelante!

Lucien *(de pronto se le acerca y le grita)*: ¡Cállate! ¿Crees que estás en el fútbol?

El padre: ¿Cómo, en el fútbol?

Lucien: Eres demasiado feo cuando gritas. Te digo que te calles.

El padre: *(desconcertado)*: Soy tu padre.

Lucien *(lo toma por la espalda de la chaqueta como si fuera a pegarle. Lo sacude)*: ¡Lo sé! Pero eres demasiado estúpido y demasiado feo al fin, y hay momentos en que no puedo soportar que seas mi padre. Este momento es uno de ellos. ¡De modo que cállate! ¿Me oyes bien? ¡Cállate, o te doy una tunda!

El padre *(que ve a* Frédéric *a lo lejos, grita soltándose)*: ¡La alcanzó! ¡La alcanzó! ¡Suéltame! Si corren hacia el semáforo, saldrán del paso. El canal dobla antes y siempre queda una franja de arena allá, ¡Jeannette lo sabe, seguramente lo sabe! Es la última posibilidad que les queda... ¡Pero que corran, diablos! ¡Que corran ligero! ¿Qué hacen que no corren?

Lucien: Ya ves lo que hacen. Se hablan.

El padre: ¡Pero es insensato! Son tan locos el uno como el otro. ¿Alguien no correrá para avisarles? ¡Yo soy demasiado viejo! ¡No es el momento de hablar, caray! *(Les grita, grotesco con las manos en altavoz.)* ¡No hablen más! ¡No hablen más!

Lucien *(despacito)*: ¡Cállate o te estrangulo! Déjalos hablar. Déjalos hablar mientras puedan. Tienen muchas cosas que decirse. *(Una pausa anhelante; miran, aferrados el uno al otro.)* Y ahora ves lo que hacen, viejo optimista, eh, ¿lo ves? Se besan. Se besan con el mar dándoles en los talones. ¡No comprendes nada, no es cierto, viejo Don Juan, viejo fracasado, viejo cornudo, viejo pingajo! *(Lo sacude abominablemente.)*

El padre *(aúlla, intentando desprenderse)*: ¡La marea, la marea, maldición! *(Grita, ridículo, impotente.)* ¡Cuidado con la marea!

Lucien: ¡Les importa un bledo la marea y tus gritos, y Julia y la madre que los miran desde el camino, y todos nosotros! Están uno en brazos del otro y sólo les queda un minuto.

El padre *(se suelta al fin y sale gritando)*: No se dirá que no hice nada. ¡Los alcanzo por el sendero de la aduana!

Lucien: Eso es. No te mojes los pies. *(Lucien, solo, sigue mirando el mar a lo lejos, inmóvil. Dice de pronto, sordamente.)* Amor, triste amor, ¿estás contento? Querido corazón, querido cuerpo, querido romance. ¿No tienes oficios que desempeñar, libros que leer, casas que construir? ¿Acaso no es bueno también el sol sobre la piel, el vino fresco en el vaso, el agua del arroyo, la sombra a mediodía, el fuego en invierno, la nieve y aun la lluvia, y el viento, y los árboles, y las nubes, y las bestias, todas las bestias inocentes, y los niños antes de que se pongan demasiado feos? Triste amor, di, ¿acaso todo no es bueno también? *(Se aparta bruscamente de lo que miraba como si no quisiera ver más. Va a la mesa, se sirve un vaso de vino y dice despacito, mirando el techo.)* Bueno. ¿Estás satisfecho? Así debía ocurrir todo. Sin embargo les dije que a ti no te gustaba eso. *(Una pausa. Se sirve otro vaso.)* Discúlpame Señor, pero tú das sed. *(Vacía el vaso de un trago. El cartero aparece en el umbral con su esclavina oscura.)*

El cartero: ¡Niños! ¡Niños!

Lucien *(salta hacia él)*: ¿Es para mí, por fin, esta vez? *(Arranca la carta de las manos del viejo, la abre febrilmente, echa un vistazo y, metiéndola en el bolsillo, toma del perchero sin decir una palabra el bolso y el sombrero.)*

El cartero *(mientras carga con su bolsa)*: ¿Y?

Lucien *(se vuelve y le dice suavemente)*: No hay ya niños. Adiós, cartero. *(Le da una palmadita amistosa y se hunde en la tarde sin volverse. Cae el*

TELÓN.*)*

Se terminó de imprimir en el mes de
diciembre de 2004 en Imprenta de los
Buenos Ayres S.A.I.C., Carlos Berg 3449,
Buenos Aires - Argentina